Avec vous,
SÉRIE CLUB traverse
De nombreux pays.

A vous seule,
Elle propose
De nouvelles aventures.

Pour vous,
Elle pénètre
Dans un monde inconnu.

Fidèle au rendez-vous
SÉRIE CLUB
pense à vous

Demain peut-être à Purumaxi

Jane Donnelly

ÉDITIONS HARLEQUIN

Cet ouvrage a été publié en langue anglaise
sous le titre :

FOREST OF THE NIGHT

© 1978, Jane Donnelly.
© 1983, Traduction française : Harlequin S.A.
48, avenue Victor-Hugo, Paris XVIe. Tél. 500-65-00.
ISBN 2-280-01088-7
ISSN 0223-3797

Megan Somers jeta un dernier coup d'œil satisfait à son apparence dans le miroir du salon. Ce nouveau tailleur était particulièrement seyant.

— Que penses-tu de ma tenue ? demanda-t-elle à son amie Sally.

Cette dernière sourit ; les deux jeunes femmes se connaissaient depuis l'enfance, et Megan avait toujours eu une beauté radieuse, même lors des années, réputées difficiles, de l'adolescence.

— Tu es parfaite ! s'exclama-t-elle. Comme à l'habitude !

Elle la contempla avec admiration. Sally était orpheline, et avait été élevée par son oncle et sa tante ; elle avait toujours considéré Megan Somers comme sa sœur, et lui avait proposé avec plaisir de partager son appartement, lorsque celle-ci avait trouvé un emploi à proximité. Cet arrangement durait depuis quatre mois et leur convenait parfaitement.

Megan travaillait comme vendeuse dans un luxueux magasin de chaussures, et s'apprêtait, ce soir-là, à dîner avec son directeur. Il n'était pas le premier de ses admirateurs à l'inviter, loin de là, mais la jeune fille se montrait, depuis quelque temps, plus rêveuse qu'à l'ordinaire. Cette fois, songea son amie secrètement

amusée, elle devait être sérieusement amoureuse...
Megan, d'ordinaire si expansive, parlait très peu d'Alan
Foster et s'abîmait dans un silence pudique...

Sally comprenait fort bien. Elle-même aimait passionnément son fiancé, Tim, et préférait garder pour elle le
secret des merveilleux moments qu'ils passaient
ensemble.

— Voilà trois semaines que tu fréquentes M. Foster,
n'est-ce pas? dit-elle gentiment. C'est presque une
relation stable, à présent!

A sa grande surprise, son amie rougit violemment et
ne répondit pas. Elle s'empara de son sac et marmonna
sans lever les yeux :

— Je rentrerai fort tard... ne m'attends pas.

— Je serai certainement couchée et endormie... Si tu
veux lui offrir une tasse de café, je ne vous dérangerai
pas.

— J'espère bien que non! répliqua Megan d'un ton
sec.

Sally haussa les sourcils, interloquée. Pourquoi se
montrait-elle aussi nerveuse? Elle devenait de plus en
plus susceptible... La porte se referma avec un bruit sec,
et la jeune femme restée seule poussa un léger soupir.
Jamais, même au début de son amitié avec Tim, elle
n'avait fait preuve d'une telle irritabilité...

Ils s'étaient rencontrés au journal local. Sally, y était
employée comme journaliste, et son fiancé en tant que
photographe. Elle sourit en évoquant leur première
entrevue, lors d'une fête costumée. Il pleuvait à verse et
son compagnon lui avait proposé de se réfugier dans sa
voiture.

— Les splendides costumes de ces villageois risquent
fort de souffrir de la pluie! avait-elle remarqué mélancoliquement.

— Mais les couleurs seront d'autant plus splendides
sous ce ciel d'orage!

6

— Vous ne pensez qu'à votre métier, avait-elle souligné, en éclatant de rire.

— Oui. Il me passionne...

Tout en parlant de sa profession, le jeune homme observait avec attention la mince silhouette et le profil délicat de Sally. Celle-ci possédait une magnifique chevelure auburn, naturellement ondulée, et un fin visage parsemé de quelques taches de rousseur. Ses yeux constituaient son plus précieux atout : immenses, mordorés comme des châtaignes à l'automne, frangés de longs cils, ils suscitaient immédiatement, par leur franchise et leur vivacité, l'amitié de tous.

Tim Rolling était instantanément tombé amoureux de la journaliste, et elle ne tarda pas à lui rendre ses sentiments. Leurs collègues du journal virent leur idylle se développer de jour en jour, et ils s'en rejouirent ; Sally était tellement séduisante, et le photographe si sympathique ! Lorsqu'ils annoncèrent leurs fiançailles, trois mois après leur première rencontre, ils reçurent de toutes parts de chaleureuses félicitations. Depuis, la jeune femme arborait fièrement une superbe bague de fiançailles ornée de diamants et d'un saphir.

Le jeune homme avait présenté sa fiancée à sa mère et toutes deux s'étaient fort bien entendues.

— Elle ne cesse de me faire des compliments sur vous, avait déclaré Tim. Votre gentillesse, votre intelligence....

— Sont-ce ces qualités qui vous ont décidé à me demander en mariage ? interrogea-t-elle en souriant.

— Pas seulement, répliqua-t-il. Je vous épouse, parce que vous êtes une femme extraordinaire, et que votre seule présence me transporte littéralement !

Le seul obstacle à leur mariage résidait dans la difficulté de trouver un logement. Certes, ils auraient pu se contenter de louer un petit appartement, mais leurs familles respectives avaient insisté pour participer à l'achat d'une maison. Une fois par semaine, le couple se rendait donc chez les agents immobiliers, pour étudier leurs propositions. Ils avaient visité un nombre incalculable de villas de toutes sortes mais aucune, jusqu'à présent, ne leur avait paru correspondre à la demeure délicieusement intime, qu'ils souhaitaient pour abriter leur amour.

Néanmoins, Sally avait commencé à acquérir du linge de maison et des meubles. Quelques-uns de ses amis étaient antiquaires et lui indiquaient les ventes où elle dénichait de merveilleux meubles anciens. Son directeur, sachant son appartement minuscule, avait aimablement mis à sa disposition l'une des caves de son journal, *L'Echo de Radchester,* pour y entreposer son futur mobilier. De temps à autre, la jeune journaliste y descendait et examinait avec enchantement les objets soigneusement empilés. Elle s'imaginait en train d'aménager leur petit nid, faisait mille et mille projets...

Elle se leva pour préparer son dîner et fronça les sourcils. Cette semaine, Tim participait à une importante exposition photographique et ne disposerait d'aucun congé ; il n'aurait probablement aucune soirée à lui consacrer. Megan, elle-même, serait certainement souvent de sortie... Sally sourit en évoquant à nouveau son amie. Avant sa rencontre avec Alan Foster, celle-ci partageait beaucoup de loisirs avec le couple. Ils se rendaient au restaurant, au cinéma, ou passaient simplement de paisibles moments devant la télévision.

— Nous devrions trouver un compagnon pour Megan, avait suggéré en plaisantant la journaliste à son fiancé, près de deux mois plus tôt. Aurais-tu quelque charmant jeune collègue célibataire à lui présenter ?

— Je ne me fais aucun souci pour elle, avait-il rétorqué en riant. Sa beauté est tellement éblouissante, que peu d'hommes doivent être capables d'y résister !

C'était exact. Megan avait de longs cheveux blonds et

mousseux et de grands yeux violets, perpétuellement étonnés. Elle avait eu une foule de prétendants, puis Alan était entré dans sa vie, et elle avait changé du tout au tout. Extravertie, elle était devenue secrète et réservée ; naguère calme et posée, elle était aujourd'hui excessivement nerveuse, et son apparence la préoccupait infiniment plus qu'auparavant.

Parfois, comme ce soir, elle se montrait franchement irascible, voire désagréable, et était capable de garder pendant plusieurs heures un silence boudeur.

— Que se passe-t-il ? demandait doucement Sally. N'es-tu pas heureuse avec ton directeur ?

— Laisse-moi donc, répliquait Megan, agacée. Tout va très bien...

Ensuite, elle s'empressait de mettre sur l'électrophone un disque particulièrement bruyant.

La journaliste était totalement déconcertée. Alan Foster paraissait pourtant charmant, et très empressé. La fiancée de Tim se perdait en conjectures. Elle avait essayé de s'en ouvrir à son compagnon, mais celui-ci avait paru légèrement embarrassé et ne lui avait prêté qu'une oreille distraite.

— Peut-être M. Foster n'est-il pas aussi assidu qu'il y paraît, avait soupiré la jeune femme. Ce serait fort triste pour Megan, car elle semble très attachée à lui, et profondément amoureuse. Du moins, je le suppose ! Il est impossible actuellement de lui soutirer la moindre confidence...

Le photographe avait fait tinter machinalement les glaçons dans son verre, sans lever les yeux.

— Tout cela finira par s'éclaircir, avait-il lancé négligemment.

— Oui, mais...

— S'il n'est pas sérieux avec elle, mieux vaut qu'elle ne se fasse aucune illusion, n'est-ce pas ? Puis-je t'offrir autre chose à boire ?

— Non, merci...

Puis Tim avait disparu au bar et ils en étaient restés là.

Sally, occupée à éteindre le feu sous son ragoût, tourna soudain la tête : la sonnerie du téléphone venait de retentir. Elle se hâta de gagner l'entrée pour décrocher, car elle attendait un coup de fil de sa tante chez qui ils devaient passer le prochain week-end.

Ce n'était pas Tante Emma, mais Jim Beale, le rédacteur en chef du journal.

— Sally ? fit-il, de sa belle voix de basse. Tim Rolling est-il chez vous ?

— Non, Jim. Il doit être dans son bureau.

— Vraiment ?

L'homme paraissait surpris, mais le bureau des photographes était à l'autre bout du bâtiment et il pouvait fort bien ne pas avoir aperçu son collaborateur.

— Bien, reprit-il. Je vais essayer de le trouver... A demain.

Dix minutes plus tard, Tante Emma l'appela. Les deux femmes bavardèrent un long moment, puis la vieille dame demanda des nouvelles de Megan, qu'elle aimait beaucoup.

— Elle se porte à merveille, assura Sally.

Elle n'eut pas le courage de raconter ses inquiétudes ; sa tante était prompte à s'affoler inutilement. En outre, les problèmes de Megan Somers, après tout, ne concernaient personne d'autre qu'elle-même.

Chaque soir, avant de s'endormir, la journaliste espérait néanmoins que son amie viendrait bavarder avec elle, lui expliquerait avec enthousiasme comment elle avait enfin résolu ses problèmes avec Alan... Mais cela ne se produisait jamais, et cette soirée-là ne fut pas différente des précédentes. Sally était en train de lire, au salon, lorsque Megan pénétra dans la pièce. Il était aux environs de minuit.

10

— Le dîner a-t-il été agréable ? s'enquit la fiancée de Tim.

— Oui, merci... je tombe de fatigue, et vais me coucher immédiatement.

Mettant ses paroles à exécution, elle disparut dans la salle de bains et, un peu plus tard, la porte de sa chambre se referma sans bruit.

Le lendemain, cependant, Sally crut comprendre enfin la cause des tourments de sa colocataire. Comment n'y avait-elle pas songé plus tôt ? Alan Foster était tout simplement un homme marié. Cela expliquait pourquoi son amie se montrait morose et silencieuse : elle s'était engagée dans une aventure sans avenir. La journaliste avait découvert la vérité par le plus grand des hasards. L'après-midi, en passant devant le magasin de chaussures, elle tomba en arrêt devant une paire de délicieuses sandales d'été. D'ordinaire, elle ne se permettait aucune fantaisie et gardait toutes ses économies pour l'aménagement de sa future maison ; mais, pour une fois, elle décida de se faire plaisir.

Quand elle pénétra dans la boutique, Megan ne s'y trouvait pas. Alan Foster — sans la reconnaître, car ils s'étaient vus très rarement — s'approcha et s'enquit de ses désirs.

Le modèle existait en deux couleurs, vert pâle ou vernis noir. Sally, un soulier dans chaque main, hésitait. Pour la journée, le vert convenait très bien, mais le noir serait parfait pour les soirées habillées.

— Ma femme a choisi les noires, indiqua l'homme en souriant. Elle en est extrêmement satisfaite.

— Votre... femme ? répéta-t-elle faiblement.

L'autre, toujours souriant, avait hoché la tête.

Bien sûr, peut-être le couple était-il séparé depuis longtemps, peut-être se détestaient-ils... Mais cela n'atténuait en rien la difficile situation de Megan.

Le soir même, Sally décida d'essayer ses chaussures et

11

posa négligemment le paquet, sur lequel était imprimé le nom de la boutique, à côté d'elle. Lorsque Megan aperçut le sac, son visage se décomposa.

— As-tu... As-tu parlé avec..., bégaya-t-elle en se tordant les mains.

— Un peu... sa femme a acheté les mêmes sandales que moi, dit doucement Sally.

Megan ne répliqua pas. Elle se mordillait les lèvres, l'air désorienté.

— Meg... Sont-ils toujours ensemble ?

— O... Oui.

— Je suis infiniment désolée... Pourquoi ne pas m'en avoir parlé ?

— As-tu mentionné mon nom ? questionna son amie, sans répondre.

— Non.

La jeune vendeuse parut profondément soulagée.

— Pourquoi me demandes-tu cela ? reprit Sally.

— Parce que... Je refuse que qui que ce soit se mêle de mes affaires ou vienne m'espionner !

Deux taches rouges sur ses pommettes témoignaient d'un trouble profond.

— Mais je ne t'espionnais pas, voyons ! protesta vigoureusement son interlocutrice. Et je n'ai pas non plus l'intention de m'en mêler.

Elle ramassa vivement les chaussures et le sac et se dirigea d'un pas vif vers la cuisine. Après un instant d'hésitation, Megan la suivit.

— Je... je suis désolée, murmura-t-elle. Je regrette mes paroles. Je me trouve dans une situation épouvantable. Tu es absolument merveilleuse, et je fais preuve d'un monstrueux égoïsme...

Egoïsme ? Sally songea que ce terme était excessif. Simplement, la malheureuse Meg n'avait pas la chance de connaître un amour heureux.

— Tu exagères! déclara-t-elle à voix haute. Je ne te trouve pas le moins du monde égocentrique!

— Détrompe-toi, jeta son amie d'un air sombre. Tu verras...

Pourquoi s'exprimait-elle ainsi? Parce qu'elle avait l'intention d'amener son soupirant à divorcer? Celui-ci avait semblé sourire avec affection en évoquant sa femme mais, s'il voyait sa vendeuse tous les soirs, comme cela paraissait être le cas, son mariage courait un sérieux danger.

— As-tu rendez-vous avec lui, pour dîner? demanda la journaliste.

— Oui, répliqua brièvement l'autre. D'ailleurs, je dois partir immédiatement. J'étais juste passée prendre un foulard.

Deux minutes plus tard, elle s'éclipsa en marmonnant un « au revoir » très sec.

Sally versa l'eau bouillante sur son thé et s'assit devant sa tasse, contemplant pensivement le liquide mordoré et fumant. Le problème de Megan, hélas, était de plus en plus courant dans la vie moderne; cependant, cela n'ôtait rien à son aspect pathétique, et la jeune femme était profondément, sincèrement désolée pour son amie.

Elle décida d'en parler à Tim dès le lendemain. Il faudrait organiser des soirées, présenter à Meg de charmants jeunes hommes susceptibles de lui faire oublier son amour malheureux. Elle était trop jeune, trop jolie, trop attendrissante pour mériter de se désespérer pendant des mois. La fiancée du photographe se sentait presque coupable en songeant à son propre bonheur. Son seul tourment était de trouver une maison agréable... Se souvenant soudain d'avoir reçu le matin même un mot d'un agent immobilier, elle le tira de son sac pour le relire. On lui proposait un ravissant cottage dans un village voisin, et une clé était jointe à la lettre pour visiter l'endroit quand elle le souhaiterait. La jeune femme hésita. Il aurait été fort agréable de s'y rendre en compagnie de Tim. Si seulement il n'avait pas eu autant de travail, ces jours-ci... Elle résolut tout de même d'y aller le soir même. Cela lui éviterait de trop penser à Megan et à son désarroi.

Le village indiqué par l'agence était assez proche de la ville, ce qui faciliterait les trajets jusqu'au journal ; il était, en outre, très joli. Sally fut immédiatement séduite par sa petite place ombragée de chênes centenaires, son église romane et ses quelques boutiques vieillottes. Le cottage lui-même s'avéra agréable et bien aménagé. Elle passa de pièce en pièce, regrettant à nouveau l'absence de son fiancé. Il aurait été merveilleux de décider à deux l'emplacement éventuel des meubles, d'examiner l'état des peintures et des finitions... Elle se promit de lui en parler dès le lendemain ; pour la première fois depuis qu'elle visitait des maisons, elle se sentait presque chez elle. La cuisine ouvrait même sur un jardinet où poussaient encore quelques salades. L'été, il serait délicieux d'y déguster des rafraîchissements, allongée sur une chaise longue...

Après avoir pris quelques notes et refermé la porte, la jeune femme décida de se promener un moment dans les rues. Elle remarqua, en passant, un café avenant devant lequel étaient garées quelques voitures. L'une d'entre elles ressemblait beaucoup à celle de Tim... Amusée, elle vérifia machinalement le numéro et retint une exclamation : sans aucun doute possible, ce cabriolet rouge appartenait à son fiancé. L'avait-on envoyé ici pour un reportage ? Ou bien était-il venu boire un verre avec des amis, une fois le dernier numéro bouclé ?

La journaliste poussa la porte du café et entra. La salle pleine de clients était vaste, confortable, et une cheminée occupait le mur du fond. Presque immédiatement, elle reconnut Tim. Il était assis derrière un pilier,

14

à l'autre extrémité, et ne prêtait aucune attention à ce qui l'entourait. Il n'avait d'yeux, semblait-il, que pour la jeune femme assise en face de lui... Penchés l'un vers l'autre, ils chuchotaient en échangeant des regards complices. On ne distinguait guère de l'inconnue que ses cheveux blonds soyeux, et son foulard...

Son foulard ! Sally réprima un cri et porta la main à sa gorge. Ce carré rayé de bleu vif, de cerise et de mauve, était reconnaissable entre mille. C'était celui de Megan, avec lequel elle avait quitté l'appartement deux heures plus tôt...

La journaliste recula d'un pas, le teint livide ; elle heurta au passage un vieux monsieur qui émit de bruyantes protestations, s'excusa en balbutiant, et se précipita à l'extérieur. Sitôt dehors, elle aspira une longue bouffée d'air frais, puis, sans savoir où elle allait, partit au hasard des ruelles.

Au bout de quelques minutes, elle leva la tête. Sans s'en rendre compte, elle avait contourné l'église et se retrouvait devant une vieille grille rouillée donnant accès au cimetière. Machinalement, elle y pénétra, surprise par la paix et le silence qui y régnaient. De simples tombes de pierre, à moitié enfouies dans l'herbe, portaient encore les noms à demi effacés d'hommes et de femmes qui avaient vécu et aimé de longues années auparavant, même parfois des siècles. Sally les enviait presque. N'aurait-il pas mieux valu être morte ?

Tim et Megan, se répétait-elle, Megan et Tim... assis dans ce bar comme deux amoureux... D'ailleurs pas « comme » deux amoureux : ils l'étaient vraiment. Elle les avait entr'aperçus quelques secondes seulement, mais leur attitude ne laissait aucun doute sur la nature de leurs relations.

Pourtant, dans ce qui, désormais, était le passé, elle leur avait accordé une confiance aveugle. Si une quelconque voyante lui avait prédit une histoire semblable, elle se serait contentée d'éclater de rire. Megan était sa meilleure, sa plus vieille amie, et Tim l'homme avec lequel elle s'apprêtait à passer le reste de son existence.

Comment pouvaient-ils la tromper, la bafouer ainsi ? Etait-il donc impossible de se fier à qui que ce soit ? Les jambes flageolantes, la jeune femme agrippa la grille en fer forgé d'une tombe. Ses yeux parcoururent le texte gravé dans la pierre : « A Dorothy Maud, épouse bien-aimée de Henry Courtenay Upton, 1823-1896 ». Les mots « épouse bien-aimée » résonnèrent dans son esprit comme un glas.

Mais, qui sait si les épitaphes elles-mêmes ne mentaient pas ? Son fiancé l'avait assurée des milliers de fois de son amour, pourtant ses paroles s'avéraient fausses. Hier encore, ils avaient discuté ensemble de leur future demeure... A présent, il était assis en face de l'autre, la rivale, si proche d'elle qu'il n'avait même pas besoin de se pencher pour l'embrasser.

Sally contempla ses mains tremblantes. La rouille du métal s'y était déposée ; elle les frotta nerveusement et les glissa dans ses poches. Depuis combien de temps ? se demanda-t-elle soudain. Depuis combien de temps les deux autres se rencontraient-ils ? Se fréquentaient-ils, plutôt, songea-t-elle avec amertume. Et qu'en était-il exactement de la relation entre Alan Foster et sa vendeuse ?

Un espoir fou saisit soudain la journaliste. Après tout, peut-être Megan avait-elle simplement voulu demander conseil au photographe. Elle devait craindre le jugement de son amie, qui voyait d'un mauvais œil les mensonges entraînés par les trahisons et les divorces. Oui, c'était cela : elle avait souhaité avoir l'opinion d'un homme jeune, tolérant, sur le point de se marier...

Tout en reprenant sa marche, Sally tentait de se convaincre de cette explication. Ce soir même, Megan

16

se confierait à elle, c'était certain. Tim lui-même effacerait ses derniers doutes, et elle rirait de s'être ainsi laissé emporter par son imagination. En fait, ne faudrait-il pas retourner dans le café à l'instant même ? Elle pourrait ainsi expliquer avoir vu la voiture, sourire en apercevant Megan, sans témoigner ni soupçon ni surprise, et bavarder avec eux, toute menace envolée... Son fiancé lui offrirait un siège et glisserait son bras autour de ses épaules, en lui confiant d'une voix tranquille : « Notre pauvre amie est bien malheureuse, savez-vous ? Je m'efforce de la consoler. Vous êtes la bienvenue. »

Mais la jeune femme ne mit pas son scénario à exécution. Elle se borna à rejoindre sa voiture et reprit la route en conduisant lentement, pour réfléchir.

Il n'y avait aucune raison de se sentir aussi bouleversée ; la seule attitude raisonnable consistait à attendre les explications des deux autres... Malgré elle, cependant, elle continuait à échafauder les hypothèses. Tim était dans ce village isolé pour prendre des photos... Il avait rencontré Meg par hasard... Peut-être venait-elle juste de quitter Alan, après s'être querellée avec lui, et avait-elle suggéré au photographe de boire un verre...

La journaliste gara son véhicule et retrouva son appartement désert. Jusqu'au milieu de la nuit, assise dans le salon sans avoir même la force d'ouvrir un magazine, elle attendit un coup de téléphone, une quelconque manifestation... Rien ne se produisit. Souffrant d'une violente migraine, elle finit par avaler deux cachets d'aspirine avec un verre d'eau et par se mettre au lit. Longtemps après, elle entendit les pas de son amie dans le couloir, puis la porte de sa chambre se referma. Les yeux grands ouverts dans l'obscurité, Sally se demanda si l'autre parviendrait à trouver le sommeil...

Les deux jeunes femmes se rencontrèrent dans la

17

cuisine, le lendemain matin, pour le petit déjeuner. La vendeuse était en retard et avalait son café sans lever les yeux. D'une main nerveuse, elle beurrait son toast en racontant à tort et à travers d'insignifiantes anecdotes.

— As-tu passé une bonne soirée ? s'enquit enfin la journaliste, d'un ton neutre.

— Euh… oui, naturellement ! bredouilla l'autre, avec un regard fuyant.

Elle avala le dernier morceau de sa tartine, s'étouffa, toussa, et se précipita enfin pour s'emparer de son sac et de son manteau.

— A ce soir ! lança-t-elle, avant de disparaître en hâte.

Le cœur lourd, Sally prit elle-même le chemin de son journal. Elle espérait voir Tim, mais le photographe chargé de l'accompagner ce matin-là, était un autre collaborateur de *L'Echo de Radchester,* nommé Kenneth Gough. C'était un petit homme replet, d'âge mûr, chargé d'une nombreuse famille. Lorsqu'elle put placer un mot dans son incessant bavardage, la jeune femme lui demanda comment se déroulait l'exposition photographique. Il y participait au même titre que Tim, mais était loin de posséder son talent.

— Tout va très bien, assura-t-il. Certains des clichés réunis sont splendides.

— Cela vous a réclamé un travail énorme, n'est-ce pas ?

M. Gough haussa les sourcils avec une légère surprise.

— A notre équipe, voulez-vous dire ?

— Oui, pour trier les photographies, les classer, les accrocher…

— Oh, non ! pas particulièrement, expliqua-t-il. Nous avions terminé cela dès le premier soir. Il y a tout au plus une douzaine de participants, ne l'oubliez pas.

Son interlocutrice sourit vaguement et resta silencieuse. Son fiancé, pourtant, lui avait affirmé être occupé tous les soirs de la semaine... Encore une fois, elle le surprenait en flagrant délit de mensonge. Il avait d'ailleurs pris un risque énorme. Sally aurait très facilement pu apprendre son absence, ne fût-ce que par un coup de téléphone du rédacteur en chef, comme elle en avait reçu un la veille...

Quel prétexte choisirait-il la semaine suivante ? songea-t-elle avec une triste ironie. Car ce petit jeu allait continuer, sans aucun doute. A moins que, d'ici là, lui et Megan n'aient mis cartes sur table. Tout serait alors clair, et la journaliste ne douterait plus d'avoir été dupée et abandonnée.

Ces deux derniers mots dansaient dans sa tête comme les paroles ridicules d'une chanson populaire. Il était difficile de croire qu'ils la concernaient... La jeune femme les chassa un instant pour interviewer l'heureux couple qui venait de gagner aux courses et faisait l'objet de son article.

— Cette somme va-t-elle changer radicalement votre vie ? demanda-t-elle d'un ton professionnel.

L'épouse tourna vers son mari un regard rieur et répondit en rougissant :

— Oh non, je ne crois pas ! Pour nous, tout se poursuivra comme avant... N'est-ce pas, chéri ?

— Bien sûr, bien sûr, balbutia l'homme, intimidé par les éclairs de flashes et les micros tendus devant lui.

Sally médita tristement leurs paroles. Pour elle, au contraire, plus rien ne serait jamais semblable. Son existence venait d'être radicalement bouleversée, au point qu'elle n'en mesurait pas encore toutes les conséquences. Comment réagirait-elle ? Se battrait-elle pour sauver son amour avec Tim, pour briser cette idylle naissante avec Megan et préserver son bonheur ?

Kenneth la raccompagna en voiture jusqu'au journal, et elle s'installa dans son bureau pour rédiger son article. Comme à l'habitude, ses collègues étaient en pleine effervescence. Sally garda un silence discret et nul ne remarqua la pâleur inhabituelle de son visage.

Après avoir rendu son travail, elle se décida à préparer sa prochaine interview, prévue pour le lundi suivant. Dieu seul savait dans quel état elle serait alors, et mieux valait prendre ses précautions...

L'homme qu'elle devait interroger se nommait Adam Burgess. La journaliste possédait déjà de nombreux renseignements sur le personnage : il était connu comme écrivain, mais aussi comme l'une des personnalités les plus marquantes de la télévision nationale. Entre chacun de ses fréquents voyages, d'où il rapportait des reportages sensationnels, il résidait à une vingtaine de kilomètres, dans un élégant manoir de campagne. Sa photographie paraissait souvent dans les journaux ; il avait une allure très aristocratique et sa haute taille dominait en général celle de son entourage. Lors de ses émissions télévisées, il se montrait discret et cultivé. En temps ordinaire, la jeune femme aurait été enchantée de rencontrer une personnalité aussi séduisante et aussi célèbre. Elle l'admirait profondément : Adam Burgess possédait un immense talent, un don inné de conteur. Il était rare d'interviewer des gens vraiment passionnants, et c'était là une précieuse occasion. Le sujet de l'article, disait la note du rédacteur en chef, devait porter sur « la vie et les amours » du grand reporter. La dernière en date de ses « fiancées », se souvint la journaliste, était une richissime actrice qui avait quitté récemment M. Burgess, pour épouser un magnat du pétrole. En somme, l'homme avait été abandonné, et il faudrait mener la discussion avec une extrême délicatesse. En serait-elle capable ? Elle se sentait si étrangement vide, inerte, presque anesthésiée...

Sally était en train de relire un article sur cette fameuse actrice, Vanessa Otterbury, lorsque Tim pénétra dans la pièce. Elle leva les yeux, cherchant les siens, et se rendit compte avec effroi qu'il était tout aussi incapable que Megan de soutenir son regard. Le photographe esquissa un sourire contraint. Il se pencha sur la photographie d'Adam Burgess et déclara d'un ton léger :

— Ce monsieur est fort intéressant… il vous apprendra certainement beaucoup de choses.

— Je n'en doute pas, murmura-t-elle.

A présent, la journaliste était soulagée de se sentir anesthésiée, indifférente. Sinon, elle aurait fondu en larmes et supplié Tim de la rassurer, d'affirmer que rien entre eux n'avait changé. Les questions informulées se pressaient sur ses lèvres. L'accompagnerait-il chez tante Emma le lendemain ? Pourquoi avait-il donné rendez-vous à Megan ?

Cependant, elle se tut, et un silence pesant emplit la pièce. Au bout d'un moment, le jeune homme reprit la parole, en s'éclaircissant la gorge :

— Sally… je suis dans l'impossibilité de venir avec vous, ce week-end.

Le cœur de son interlocutrice se serra.

— Vraiment ?

— Oui. Malheureusement, j'ai eu un contretemps imprévu…

Il s'arrêta, s'attendant visiblement à une demande d'explication. Mais la pièce était pleine de journalistes et sa fiancée n'osa pas l'interroger. C'eût été l'obliger à mentir…

— Je tâcherai de me libérer le week-end prochain, suggéra-t-il.

— Oui ? répliqua-t-elle doucement, incapable d'émettre une phrase cohérente.

— Euh… nous en reparlerons, conclut Tim. Pour le moment, je suis un peu pressé…

Sur quoi, il s'éloigna d'un pas vif, sans se douter que

son visage portait un air de culpabilité absolument semblable à celui de Megan Somers.

Le soir même, Sally annonça à son amie :

— Tim ne peut pas m'accompagner chez mon oncle et ma tante, samedi et dimanche.

— Oh ! Quel dommage, énonça Megan, d'une voix manquant totalement de naturel.

— N'as-tu pas envie de le remplacer ? Ils seraient enchantés de te voir.

— Je... non, c'est impossible.

— Mm... Peut-être vais-je renoncer moi-même à cette visite, lança la journaliste en examinant l'autre du coin de l'œil. Ainsi, nous pourrons sortir ensemble...

Megan se mit à bredouiller, de plus en plus désemparée.

— C'est inutile, je... je serai absente.

— Alan Foster t'a-t-il invitée en week-end ?

Megan devint écarlate. Pour un peu, Sally aurait eu pitié d'elle...

— Non, non, répliqua-t-elle en hâte. Je pars... avec une amie.

— Est-ce que je la connais ?

— Non, tu ne l'as jamais rencontrée.

Cette dernière assertion était absurde. La fiancée de Tim avait été présentée à tous les amis de sa rivale, même les plus éloignés...

Elle sourit sans conviction et poursuivit :

— En tout cas, tu devrais amener Alan à dîner, un soir. Tim et moi mourons d'envie de mieux le connaître.

— Je... certainement, balbutia son interlocutrice, cette fois complètement décomposée.

Elle sortit de la pièce sans toucher à sa tasse de thé. Quelques instants plus tard, la porte d'entrée claqua brusquement. Pensive, Sally se mordilla la lèvre. En fait, il aurait fallu pouvoir dire à l'autre : « Tu n'as jamais dîné avec M. Foster, n'est-ce pas ? »

22

Car, à présent, elle en était sûre. Le directeur du magasin avait servi de simple prétexte, d'écran de fumée. Tout d'abord, un mois plus tôt, Megan avait commencé à beaucoup sortir le soir. Ensuite, son amie l'avait un jour rencontrée dans la rue, en compagnie d'un inconnu.

— Qui est donc ce charmant jeune homme ? avait-elle demandé en plaisantant.

— M. Foster, mon directeur, avait répondu la vendeuse. Il est extrêmement sympathique.

Par la suite, la jeune femme avait mentionné deux ou trois fois le nom de cet homme, suggérant à mots couverts qu'il lui faisait la cour. Et Sally s'y était laissé prendre...

Une horrible certitude l'avait envahie dès son entrevue de l'après-midi avec Tim : le couple allait passer le week-end ensemble.

Elle voulait les voir partir le lendemain matin. C'était un désir choquant, une sorte d'espionnage de bas étage, mais elle ne pouvait s'en empêcher. Même si elle devait le regretter...

Le magasin de chaussures fermait le samedi à midi. Frissonnant dans son manteau, Sally se posta à quelques mètres, dissimulée dans une encoignure. Au bout de quelques minutes, Megan apparut. Elle portait une valise noire, que l'autre reconnut pour l'avoir déjà aperçue au petit déjeuner.

— Transmets mes salutations à ton oncle et ta tante, avait lancé la jeune fille avant de disparaître.

— Certainement. Bon week-end avait rétorqué ironiquement Sally.

— Euh... toi aussi !

La journaliste chassa ce souvenir et se redressa. Le cabriolet de Tim venait d'apparaître au coin de la rue. Megan lui adressa un signe discret de la main, traversa en regardant avec prudence à droite et à gauche, puis rejoignit le véhicule et s'y engouffra. La foule, à cette heure-ci, était dense, et les deux amoureux pouvaient sans danger se donner rendez-vous en pleine ville. Ils savaient les journalistes encore au travail dans les bureaux de *L'Echo de Radchester,* comme Sally elle-même aurait dû l'être, si elle ne s'était échappée dix minutes plus tôt...

Immobile, elle les regarda s'éloigner. Ils ne s'étaient pas rendu compte de sa présence, et c'était heureux. Elle crut les voir s'embrasser au moment de démarrer, et ses yeux se fermèrent une seconde : cette image était trop insupportable.

Rapidement, la jeune femme regagna sa propre voiture. Tante Emma et Oncle Edwin allaient l'attendre, et il lui fallait se dépêcher...

Alors qu'elle mettait sa ceinture de sécurité, son regard tomba sur le dossier concernant Adam Burgess, qu'elle avait apporté pour l'étudier le lendemain. Ce personnage célèbre et sûr de lui-même, songea-t-elle avec amertume, devait savoir mener sa vie de main de maître. Il ne devinerait jamais le désarroi qui habitait la jeune journaliste avec laquelle il bavarderait le lundi matin...

2

— Tim n'est donc pas avec toi? s'exclama Tante Emma, en ouvrant la porte de sa villa et en embrassant sa nièce.

— Non... il doit travailler.

— Vraiment? Tu es très déçue, j'imagine.

Sally sourit faiblement en déposant ses bagages dans le hall. Il était bon de se retrouver dans la demeure de son enfance : un énorme bouquet de roses jetait une note de gaieté au milieu du mobilier impeccablement ciré, et une délicieuse odeur de pâtisserie flottait dans l'air.

La vieille dame était l'aînée du défunt père de la journaliste, et cette dernière l'avait toujours connue avec ses cheveux blancs qui encadraient joliment son visage bienveillant. Emma Barnett et son mari profitaient d'une paisible retraite, après avoir élevé la petite orpheline, qu'ils adoraient. Lorsque la jeune femme pénétra dans le salon, les regards du vieux couple se fixèrent sur elle avec attention ; ils se souciaient toujours beaucoup de sa santé et de sa « bonne mine ».

Cette fois, le vieil homme remarqua les yeux cernés de la visiteuse.

— Tu sembles bien lasse! grommela-t-il.

L'intéressée hocha doucement la tête ; elle venait de passer deux nuits blanches...

— Je suis extrêmement occupée, expliqua-t-elle.

— Eh bien, je te conseille de te reposer dès maintenant, suggéra sa tante. Edwin va porter tes valises à l'étage.

Sally bavarda encore un moment puis monta dans sa chambre. Posée bien en évidence sur le lit, une pile de draps, de nappes et de serviettes damassées, l'attendait. Il s'agissait d'un cadeau de sa tante, destiné à l'aménagement de la future demeure des nouveaux époux... Une demeure qui n'existerait jamais. La jeune femme n'osa pas regarder le linge délicat, encore moins le toucher. Elle lui tourna le dos et s'approcha de la fenêtre. La pelouse du jardin était méticuleusement entretenue ; l'oncle Edwin, en outre, soignait avec amour ses massifs de rosiers. Leur parfum embaumait l'atmosphère et se répandait jusque dans la chambre...

Une quinzaine d'années plus tôt, se souvint Sally, elle s'était ainsi tenue debout, devant les mêmes vitres, attendant ses parents qui ne reviendraient pas.

M. et Mme Doyle, à l'époque, avaient confié leur fillette à Emma, avant de prendre l'avion pour un long voyage. Au retour, leur bœing s'était écrasé au sol... L'oncle et la tante, avec d'infinies précautions, avaient dû apprendre l'épouvantable nouvelle à l'orpheline.

L'émotion qu'elle ressentait à présent était assez semblable à celle qu'elle avait connue alors ; un état de choc étrange, rendant difficile la perception de la réalité ; une sorte de douloureuse léthargie, physique et mentale...

— Le thé est servi, ma chérie, cria soudain la vieille dame, de l'escalier.

La journaliste se débarrassa en hâte de son manteau et descendit rejoindre ses hôtes. La table du salon était couverte de mets divers, plus appétissants les uns que les

26

autres. Le cœur serré, Sally reconnut le gâteau préféré de son fiancé, préparé en l'honneur du photographe. Elle se sentait incapable d'avaler la moindre bouchée.

— Vous m'avez offert du magnifique linge de maison, lança-t-elle gentiment à sa tante. C'est une folie ! Vous n'auriez pas dû...

— S'il te plaît, j'en suis très heureuse. Tu sais combien j'aime penser à ton prochain cadre de vie... Puis-je te servir une tasse de thé ?

Elle s'exécuta et poursuivit :

— Nous regrettons vraiment de ne pas voir Tim. Le pauvre doit se morfondre sans toi... Prends tout de même une part de tarte, ma chérie. Je l'ai faite spécialement pour toi.

Réprimant un soupir, sa nièce obéit et se força à manger.

— Travailles-tu vraiment autant ? interrogea son oncle, le regard aigu.

— On travaille toujours trop, n'est-ce pas ! plaisanta la jeune femme, avec une feinte gaieté.

Elle essayait de ne rien laisser paraître de son désespoir, de sembler aussi enjouée qu'à l'ordinaire. Le couple lui fit part de plusieurs anecdotes, puis Tante Emma interrogea :

— Comment se porte Megan ?

— Très bien, ma foi. Elle... est partie en week-end avec une amie.

Sally changea de sujet et mentionna sa prochaine interview avec Adam Burgess. Ils l'avaient vu à la télévision et louèrent longuement son talent.

Le thé terminé, Edwin Barnett s'éclipsa à la cuisine pour faire la vaisselle, car il prenait toujours consciencieusement part aux tâches domestiques, et les deux femmes restèrent seules dans l'élégant salon tendu de bleu.

La vieille dame dévisagea sa compagne d'un air soupçonneux.

— Dis-moi, Sally..., questionna-t-elle doucement, est-ce que tout va bien ?

L'intéressée soupira. Sa tante avait toujours fait preuve d'une excellente intuition... La journaliste faillit répondre par l'affirmative, puis hésita. Le vieux couple espérait depuis longtemps son mariage, et il fallait les préparer à une déception qui serait cruelle.

— A propos de Tim et moi..., commença-t-elle lentement, je ne sais plus très bien si...

Elle respira profondément, pour maîtriser le léger tremblement de ses mains, et reprit en pesant ses paroles avec soin :

— Je veux dire que... je ne suis pas certaine de toujours souhaiter l'épouser.

Elle attendit les exclamations de sa tante, les phrases de surprise attristée, les demandes d'explications ponctuées de « mais c'est un si gentil garçon » !

Curieusement, rien de tout cela ne se produisit. Emma Barnett caressa doucement la main de sa nièce et répliqua d'une voix égale :

— Si tu n'es pas sûre de tes sentiments, alors, bien évidemment, il ne faut pas l'épouser.

Elle jeta un coup d'œil rapide vers la porte fermée et poursuivit, un ton au-dessous :

— Avant ton oncle, j'ai été beaucoup courtisée, crois-moi ! Mais il était le seul au sujet duquel je n'avais aucun doute...

Sally lui sourit avec tendresse. La vieille dame aux yeux bleus avait dû être une jeune fille très séduisante.

— Toi aussi, un jour, tu n'auras plus de doutes, conclut sa tante. Avec Tim ou avec un autre.

Mais elle avait été sûre de l'amour du photographe ! songea la jeune femme avec désespoir. Comment aurait-elle pu prévoir sa trahison ? Et comment y faire

28

face ? Il était impossible de demander conseil à l'autre sur ce sujet... Tout d'un coup, la vision de Megan rayonnante, habillée d'une robe de mariée immaculée, lui traversa l'esprit. Elle esquissa une grimace douloureuse. Dieu merci, elle parvenait à rester calme. Presque trop calme...

Le week-end, tout bien considéré, se déroula aussi agréablement que possible. Emma dorlotait sa nièce comme une convalescente, avec tact et sollicitude.

Lorsque la journaliste quitta la villa, le lundi matin, elle agita la main en souriant, pour dire au revoir au vieux couple. Ils la croyaient revenue à son état normal... Cependant, ils se trompaient : Sally était devenue l'ombre d'elle-même, et des épreuves encore plus cruelles l'attendaient. Elle désespérait d'avoir la force d'y faire face.

Ses collègues du journal l'accueillirent avec l'enthousiasme et les plaisanteries coutumières des débuts de semaine. Serrant des mains à droite et à gauche, elle gagna son bureau personnel. Une note était posée en évidence sur sa machine à écrire :

« M. Burgess ne pourra pas vous recevoir aujourd'hui. »

Découragée, la jeune femme froissa le papier et l'envoya dans la corbeille. Elle avait tellement compté sur cette interview ! A présent, il lui faudrait probablement accompagner Tim dans l'une de ses tournées...

Au moment où elle pensait à lui, il pénétra dans la pièce et s'approcha sans la regarder.

— Hello, Sally ! lança-t-il en tambourinant nerveusement sur la table. Euh... serez-vous chez vous, ce soir ?

— Oui, pourquoi ? demanda-t-elle, tout en notant qu'il ne s'inquiétait pas de savoir si elle avait passé un bon week-end.

— Pourrais-je venir vers sept heures, environ ? J'aimerais vous parler.

Un court silence s'ensuivit, puis il reprit :

— Alors, entendu, à ce soir ?

Il disparut sans même attendre sa réponse. Sa fiancée connaissait déjà la nature des révélations qu'il avait à lui faire, mais il ne s'en doutait pas... Megan serait-elle présente ?

Le rédacteur en chef apparut sur le seuil et la héla :

— Sally, vous avez rendez-vous avec Adam Burgess ce matin, n'est-ce pas ?

L'intéressée lui lança un regard surpris, pensant au mot trouvé sur sa machine, puis comprit : la femme de ménage avait dû prendre la communication, tôt le matin, et personne, à part elle, n'était au courant. Impulsivement, la journaliste rétorqua :

— Oui, c'est exact.

— Bien. Le rendez-vous est à dix heures, ne vous mettez pas en retard. S'il vous invite à déjeuner, acceptez, n'hésitez pas.

Elle hocha la tête. L'article devait occuper une page entière, et il faudrait réunir beaucoup d'informations. Si Adam Burgess était absent, il serait toujours possible d'interroger sa gouvernante, ses voisins... et d'admirer le superbe manoir où il vivait. De plus, au cas où le reporter se formaliserait de sa venue, songea Sally, elle pourrait toujours prétendre n'avoir pas reçu son message. Ces choses-là s'égaraient si facilement ! En outre, la courtoisie exigeait qu'il s'adresse personnellement à elle, et non à une employée extérieure au service.

Tout en réunissant ses affaires pour descendre au parking, elle s'étonnait de sa persévérance à tenter de rencontrer le célèbre personnage. Ce n'était pas seulement par curiosité professionnelle, elle en avait conscience ; c'était aussi parce que, dans l'état de désarroi où elle se trouvait, il semblait ête la seule personne au monde susceptible de la distraire, et de lui faire oublier momentanément ses préoccupations.

La journée promettait d'être agréable. Un soleil pâle, timide encore, mais réconfortant, perçait entre les nuages. La conductrice traversa plusieurs ravissants villages, blottis au creux des collines verdoyantes de Cornouailles. Suivant les indications données par son directeur, elle s'engagea dans une petite route ombragée, puis aperçut bientôt la silhouette imposante de la résidence de M. Burgess.

Sally se gara au bout d'une allée trop étroite pour son véhicule et poursuivit à pied jusqu'à la demeure. Les aubépines et les chèvrefeuilles qui bordaient le chemin, embaumaient délicieusement l'atmosphère. Aucun bruit, sinon le bruissement des feuillages et quelques cris d'oiseaux, ne rompait le silence. Elle vit une voiture garée devant le seuil, mais ne remarqua aucun signe de vie autour de la maison. De près, celle-ci paraissait plus intime, plus accueillante que ses dimensions ne le laissaient prévoir, vues de la route ; une vigne vierge couvrait la façade de briques roses, et des fenêtres à meneaux donnaient à l'ensemble un cachet indéniable. « C'est la demeure de mes rêves, songea la jeune femme avec tristesse. Celle que j'aurais pu choisir pour y vivre en compagnie de Tim... »

Sally grimpa les marches du perron et frappa à la porte.

Elle attendit quelques minutes, presque honteuse de troubler ainsi la paix de ce décor. Rien ne vint. Elle essaya encore : aucune réponse.

Avec un léger soupir, la journaliste s'éloigna. Elle s'était plus ou moins attendue à l'absence de M. Burgess et, en fait, cela ne la dérangeait pas trop. Le site enchanteur exerçait déjà sur ses nerfs une action apaisante.

D'un pas nonchalant, elle fit le tour de la maison. Le jardin était légèrement en friche, mais agréable ; un banc de bois, sous un arbre, invitait au repos. Elle s'y assit et s'adossa avec soulagement. Elle se fatiguait très vite car le sommeil, ces jours-ci, ne cessait de la fuir. Les nuages poursuivaient doucement leur course langoureuse. Sally aurait pu rester ainsi, immobile et rêveuse, jusqu'à la nuit tombée...

Ce soir, Tim et Megan viendraient s'excuser. La jeune femme imaginait déjà le tour que prendrait la conversation ; ils l'aimaient comme une sœur... Etaient infiniment désolés de lui causer de la peine... Mais c'était le destin, la fatalité...

Soudain, la journaliste prit conscience d'un élément nouveau. Un visage de femme venait d'apparaître à l'une des fenêtres du premier étage. L'inconnue observa un instant Sally, les yeux écarquillés, puis tira les rideaux et disparut.

La visiteuse bondit sur ses pieds. Ainsi, malgré tout, la maison était habitée ! Une gouvernante, une secrétaire seraient descendues ouvrir la porte ; cette femme devait être une amie du célèbre reporter, voire une amante. Voilà donc pourquoi M. Burgess ne souhaitait pas être dérangé !

D'un pas vif, la fiancée de Tim regagna la voiture. Sa décision était prise, elle retournerait au bureau, téléphonerait à cet homme et demanderait poliment : « Je suis passée chez vous, monsieur Burgess, mais vous sembliez absent. A quel moment pourriez-vous me recevoir ? »

Naturellement, elle ne mentionnerait pas le visage entrevu ; le reporter avait le droit d'héberger qui il voulait, et *L'Echo de Radchester* n'était pas un journal à sensation.

Elle s'arrêta en chemin pour prendre un café. Qui pouvait bien être la nouvelle égérie de l'une des personnalités les plus en vue du moment ? Il était probablement fort difficile de remplacer l'éblouissante

Vanessa Otterbury — ou plus exactement Mme Westmorland, comme elle s'appelait désormais.

Tout à coup, Sally reposa sa tasse. Les traits de l'inconnue lui revinrent très clairement en mémoire. Est-ce que... Mais oui ! Comment n'avait-elle pas compris ? C'était l'actrice elle-même, et personne d'autre, qui se trouvait actuellement dans la demeure de son ancien fiancé !

La journaliste se souvint du texte d'une récente coupure de presse. Mme Westmorland, y lisait-on, passait actuellement quelque temps en Angleterre en vue du tournage d'un nouveau film. Son époux, le fameux magnat du pétrole, était, quant à lui, retenu aux Etats-Unis pour ses affaires...

Une vague de dégoût submergea la jeune femme : Vanessa et Adam se comportaient exactement comme Tim et Megan, bafouant les sentiments d'une tierce personne. La situation s'avérait même encore plus écœurante ; l'actrice était mariée depuis trois mois, et le reporter était un homme connu, dont la parole faisait autorité, auquel les auditeurs accordaient leur confiance. En fait, il se révélait être un hypocrite, doublé d'un cynique. Il n'était pas étonnant qu'il ait refusé de recevoir la presse, ce matin même !

Tremblante de colère et de mépris, Sally régla sa consommation, puis se dirigea vers une cabine téléphonique.

La sonnerie résonna pendant un temps interminable. Enfin, quelqu'un décrocha ; une voix masculine s'éleva, chaude et vibrante... Celle d'Adam Burgess.

— Bonjour, fit la journaliste d'un ton neutre. Je suis Sally Doyle, de *L'Echo de Radchester,* et j'avais rendez-vous avec vous, il y a une heure.

— Ne vous a-t-on pas transmis mon message ? s'enquit-il calmement.

— Si, mais j'ai tout de même décidé de tenter ma

33

chance... Vous devez m'avoir entendue frapper à votre porte.

— Effectivement. Je n'ai pas ouvert, car je ne souhaitais pas être dérangé.

— Vraiment! susurra-t-elle, avec une feinte douceur. Peut-être pourrais-je parler néanmoins à Mme Westmorland...

Un long silence s'ensuivit. Sally bouillonnait de fureur; elle ne reculerait plus. Son seul but, à présent, était de lancer ses quatre vérités au visage de cet homme.

— Où vous trouvez-vous en ce moment? reprit son interlocuteur, sans se départir de son calme.

— A quelques kilomètres de chez vous, dans un café.

— Bien. Venez me rejoindre immédiatement.

— Volontiers, persifla-t-elle.

Cette fois, la porte s'ouvrit dès qu'elle eut frappé.

La jeune femme avait eu trop souvent l'occasion de voir Adam Burgess sur le petit écran, pour avoir l'impression de se retrouver en face d'un étranger. Elle reconnut l'abondante chevelure noire, légèrement ondulée et toujours impeccablement coiffée, le nez droit, la bouche bien dessinée et légèrement moqueuse. Une vive intelligence se lisait dans le regard sombre et perçant. Sa tenue, néanmoins, tranchait sur les smokings de bonne coupe qu'on lui connaissait d'ordinaire; il était vêtu d'un pantalon de velours un peu usé et d'une simple chemise au col négligemment ouvert.

— Vous êtes Sally Doyle, je présume, énonça-t-il, en s'effaçant pour la laisser entrer. Etes-vous seule?

— Oui, naturellement!

Elle frissonna légèrement. Pourquoi posait-il une telle question? Avait-il des intentions agressives? Ne venait-elle pas, du fait de sa folle impulsion, de se jeter dans la gueule du loup? Mais il était trop tard pour faire machine arrière, et, de toute façon, l'écœurement l'habitait encore. Tim, Megan, Vanessa, Adam : ils étaient tous méprisables et indignes de son respect.

Le salon était une vaste pièce aux poutres apparentes, meublée avec plus de confort douillet que de luxe. Le reporter indiqua du doigt un fauteuil profond.

— Asseyez-vous, je vous en prie.

La visiteuse obéit, consciente du regard sardonique fixé sur elle.

— J'ai aperçu une femme à la fenêtre, tout à l'heure lança-t-elle. Nierez-vous qu'il s'agisse de Mme Westmorland ?

— Je me garderais bien de le nier, rétorqua-t-il. Cela ne ferait que donner encore plus de piquant à votre article à scandale, n'est-ce pas ?

Sally fronça les sourcils ; elle n'avait jamais eu l'intention de rendre la scène publique, mais seulement d'effrayer un peu son interlocuteur, par une sorte d'étrange vengeance que lui dictaient la colère et le dégoût.

— Sa présence ici signifie-t-elle qu'elle a l'intention de quitter son mari ? reprit-elle, en soutenant le regard de l'autre.

Il s'était assis et croisa nonchalamment les jambes.

— Pas le moins du monde, ma chère.

Cela n'avait rien de surprenant. Les gens de cette sorte agissaient dans l'ombre douteuse de la dissimulation. Mentalement, la journaliste imaginait les mots de l'article qu'elle aurait pu rédiger si elle s'était intéressée à un certain type de presse :

« Tout ne semble pas aller pour le mieux entre l'illustrissime star, Vanessa Otterbury et son nouveau mari, le magnat texan J. D. Westmorland. Apparemment, l'héroïne des plus grands succès de l'année passée éprouve une certaine nostalgie pour son ex-fiancé, M. Adam Burgess, et... »

— Vous êtes déjà en train de formuler vos ragots,

n'est-ce pas ? interrompit soudain le reporter, avec un sourire ironique. *L'Echo de Radchester,* me semble-t-il, n'éprouve pourtant aucun intérêt pour ce type d'information...

Il avait parfaitement raison, et Sally partageait le point de vue de son journal. Cependant, toujours désireuse de le blesser, elle riposta d'un ton léger :

— J'ai beaucoup de contacts dans la presse...

— Je vois, murmura-t-il froidement. Et vous seriez sans aucun doute grassement payée pour votre petite histoire. C'est intéressant... C'est la première fois de ma vie que l'on essaie de me faire chanter.

Ces derniers mots firent sursauter la jeune femme. Il avait donc interprété sa dernière phrase comme une tentative de chantage... Comment osait-il avoir une si piètre opinion d'elle, sans même la connaître ? D'autant plus que lui-même ne méritait pas un prix de vertu !

— Alors ? grogna-t-il impatiemment. Combien voulez-vous pour ne pas colporter vos découvertes ?

— Rien, balbutia-t-elle. C'est évident. Vous vous trompez sur mon compte...

Il haussa les sourcils.

— J'ai peine à croire que vous soyez simplement venue ici pour me faire la morale, jeta-t-il d'un ton sarcastique. Je suis même certain du contraire. Je ne vous laisserai pas partir sans avoir votre réponse...

Sally prit une profonde inspiration ; l'homme, en fait, raisonnait logiquement. Il ignorait l'épisode de Tim et Megan, la colère impulsive qui avait guidé la journaliste jusqu'à chez lui, et la vérité lui aurait sans doute paru totalement invraisemblable. De par sa profession, il avait dû acquérir une méfiance compréhensible. La jeune femme commençait à se demander comment sortir de cette situation, lorsqu'une nouvelle idée germa dans son esprit. Serrant machinalement les poings, elle se pencha et déclara d'une voix vibrante :

36

— Monsieur Burgess, je serai franche avec vous. Je n'ai jamais songé à vous faire chanter... Vous n'en êtes pas convaincu, et je comprends cela. Si vous désirez être rassuré sur mes intentions, il existe une chose que vous pouvez m'offrir ; non pas de l'argent, mais un travail...

C'était au tour du reporter de paraître franchement éberlué.

— Un travail ? répéta-t-il. Avec moi ?

Elle hocha la tête, les yeux suppliants. S'il acceptait, cela permettrait à Sally de quitter la ville, le journal, les souvenirs... et surtout de partir la tête haute devant Tim et Megan. Plus elle y songeait, plus elle se disait que c'était la meilleure solution.

— Je me demande si je ne ferais pas mieux de vous accorder le bénéfice du doute, grommela Adam. Quelles sont vos capacités ?

— Je pourrais rechercher et analyser vos documents, mener des interviews, rédiger vos textes... J'ai une longue expérience de journaliste.

— Oui, votre rédacteur en chef s'est répandu en compliments sur votre travail...

— Donnez-moi une chance, implora-t-elle.

Il la fixa d'un regard aigu, se passant la main dans les cheveux avec perplexité.

— Je n'ai pas le choix, je suppose, déclara-t-il enfin. Quel est votre salaire actuel ?

Elle lui en révéla le montant, et ajouta :

— Je n'ai pas besoin de plus.

— Vous me surprenez ! Quelles sont donc vos motivations, si elles ne sont pas d'ordre financier ?

— Il ne s'agit pas de cela, je vous l'ai déjà dit... Je... vous menez une vie passionnante, et je vous envie.

Deux jours plus tôt, cette affirmation n'aurait pas été exacte ; la jeune femme, alors, adorait son métier et se préparait avec joie à passer toute son existence aux côtés de Tim. Désormais, elle ressentait la nécessité d'un changement radical...

Le reporter gardait toujours posés sur elle ses yeux sombres et énigmatiques. Il devait probablement la mépriser, ou du moins, se sentir profondément contrarié.

— Bien, jeta-t-il, en se levant brusquement. Je vous embauche comme mon assistante personnelle.

— Oh ! Je vous remercie... Quelle date fixerons-nous ? Je peux quitter mon emploi au « journal » à la fin du mois.

— Revenez ici le premier lundi du mois prochain.

Il se dirigea vers son immense bureau Empire, placé devant une fenêtre et couvert de papiers divers.

— Rappelez-moi le numéro de téléphone de votre journal, lança-t-il, en décrochant le combiné.

Il échangea quelques politesses avec le directeur de *L'Echo de Radchester,* puis expliqua :

— J'ai près de moi l'une de vos collaboratrices, une certaine Miss Doyle... Je viens de lui offrir un emploi, et elle songe à l'accepter. Naturellement, je tiens d'abord à vous demander votre avis. Une aussi... précieuse employée ne vous manquera-t-elle pas trop ?

Sally rougit de cette question, dont l'ironie lui était destinée. Sa conversation terminée, Adam Burgess se tourna vers elle :

— Monsieur Peake, votre directeur, sera désolé de vous perdre, ma chère.

— Dois-je... annoncer la nouvelle comme vous l'avez fait ? balbutia-t-elle. En disant que vous m'avez offert ce travail ?

— Vous pouvez déclarer que votre talent m'a séduit au point de ne pas pouvoir y résister, railla-t-il.

Elle frissonna sous le sarcasme, tandis qu'il la raccompagnait à la porte, et murmura :

— Vous... vous ne regretterez pas de m'avoir embau-

38

chée, monsieur Burgess. Mais si vous le souhaitez, il est encore temps pour vous de changer d'avis... Je ne vous causerai aucun ennui, je vous l'ai promis.

— Trop tard, jeta-t-il. En outre, si l'un de nous doit se repentir de notre association, ce sera plutôt vous que moi.

La porte se referma avec un bruit sec. Le cœur battant, elle regagna sa voiture. Les dés étaient jetés... Bientôt, elle travaillerait avec un homme dont elle désapprouvait la conduite, mais dont elle aurait beaucoup à apprendre sur le plan professionnel. Elle était prête à se dépenser sans compter, à la fois pour oublier Tim et pour ne pas décevoir son nouvel employeur.

Tout en conduisant, Sally jeta un coup d'œil à sa montre. Son directeur, à présent, avait dû mettre tous les journalistes au courant de la nouvelle... Tim lui-même l'aurait-il apprise ? Dans ce cas, lui et Megan décideraient peut-être de modifier leurs plans. Ils attendraient le départ de leur amie, puis, seulement alors, rendraient public leur amour... Et cela leur permettrait de sauver la face. La jeune vendeuse n'aurait-elle pas, ainsi, l'air de consoler le photographe, bouleversé par le départ de sa fiancée ?

« Je suis devenue plus cynique en une semaine qu'en vingt et un ans d'existence », songea amèrement la nièce d'Emma Barnett. Désormais, elle n'aurait plus jamais confiance en personne... sauf en son oncle et sa tante. Dans un sens, c'était probablement préférable... Il fallait se montrer lucide et forte pour travailler avec Adam Burgess.

Quand elle pénétra dans les bureaux du « journal », tous les regards se braquèrent sur elle et les questions fusèrent de tous côtés. Que s'était-il produit ? Comment avait-elle réussi à convaincre l'inaccessible reporter ? Karen, la collaboratrice chargée de la page de mode — et qui s'efforçait de ressembler aux mannequins qu'elle décrivait — s'approcha avec une expression à la fois envieuse et admirative.

— Alors ? minauda-t-elle. Expliquez-nous...

Sally s'assit devant sa machine à écrire et murmura :

— Eh bien, nous... nous étions en train de discuter, j'ai confié à M. Burgess combien sa vie me semblait passionnante...

Elle se mordit les lèvres, craignant de ne pas paraître assez convaincante, et poursuivit :

— ... Et il m'a affirmé alors être à la recherche d'une assistante. M. Peake, m'a-t-il dit, m'a longuement loué vos capacités...

— J'aurais mieux fait de me taire ! intervint sombrement le directeur.

— A ce moment-là, il m'a offert le poste, conclut brièvement Sally.

Karen ajusta le col de son élégant tailleur et haussa les sourcils.

— De but en blanc, comme cela ?

— Mon Dieu, oui... répondit-elle, en rougissant.

— Mm ! énonça pensivement son interlocutrice. Gregory Peck a rencontré sa femme de la même manière. Vous en souvenez-vous ? Elle était venue l'interviewer, et...

— Ma situation n'a strictement rien à voir ! protesta énergiquement la jeune journaliste. Nous avons uniquement parlé affaires, et la proposition de M. Burgess est strictement d'ordre professionnel.

— Naturellement ! concéda l'autre, avec un rire qui démentait visiblement ses paroles. Cependant, à mon avis, il ne vous aurait pas embauchée si vous n'aviez pas été une femme séduisante... Comment Tim réagira-t-il ?

Sally tambourina machinalement sur le clavier de sa machine.

— Savez-vous s'il est déjà au courant ? interrogea-t-elle, sans lever les yeux.

40

— Non, je ne crois pas, lança Fred Peake. Il était sorti au moment du coup de téléphone. Dites-moi, ma chère, vous rédigerez tout de même votre interview, n'est-ce pas ?

— Euh... oui, bien sûr, balbutia l'intéressée.

Cependant, elle se sentait profondément embarrassée. Il n'y avait pas eu d'interview à proprement parler, et elle n'osait pas contacter à nouveau le reporter. Heureusement, le rédacteur en chef vint involontairement à son secours :

— Abandonnez l'idée initiale, expliqua-t-il, et racontez plutôt comment il a décidé de vous employer. Décrivez cela comme un conte de fées moderne, comprenez-vous ce que je veux dire ? La petite journaliste débutante lancée soudain dans le monde du grand reportage...

La jeune femme se mit au travail, mais elle devait inventer des dialogues imaginaires et la tâche était ardue. Elle décrivit longuement la demeure, les environs, le personnage, puis choisit pour titre « Comment Adam Burgess a changé ma vie ».

Pourtant, les véritables auteurs du changement, songea-t-elle en grimaçant, étaient Tim et Megan. Et cette nouvelle existence n'était pas celle qu'elle aurait souhaitée...

Le photographe, d'ailleurs, ne se montra pas de toute la journée. Sally termina son article vers cinq heures de l'après-midi, le rendit et rentra chez elle, après avoir fait quelques emplettes pour le dîner.

Son appétit, depuis quelque temps, était quasiment inexistant ; mais, le soir même, elle allait devoir affronter une dure épreuve et il était hors de question de rester l'estomac vide. Elle aurait besoin de toute son énergie. D'ordinaire, la journaliste aurait acheté suffisamment de nourriture pour trois personnes, et aurait été heureuse d'inviter les deux autres à partager son repas ; mais cette fois, il n'en était pas question...

L'appartement était vide. Elle se prépara une tasse de thé et une salade, puis s'assit. Quelques minutes plus tard, la porte de l'entrée s'ouvrit et la voix de Megan cria du couloir :

— Bonjour ! Le week-end s'est-il bien passé ?

— A merveille, répliqua Sally d'un ton neutre.

Elle reposa sa fourchette et son couteau, incapable d'avaler la moindre bouchée.

— Tante Emma t'envoie son meilleur souvenir, ajouta-t-elle.

La vendeuse se rendit dans la salle de bains, et commença à se laver les mains.

— Es-tu de sortie, ce soir ? interrogea son amie, contemplant son assiette d'un air absent.

— Euh... non, cria l'autre, haussant la voix pour couvrir le bruit de l'eau.

— N'as-tu donc pas rendez-vous avec Alan ?

— Non.

— Tim doit passer, un peu plus tard, indiqua suavement Sally.

— Oh, vraiment ?

L'employée du magasin de chaussures paraissait de plus en plus nerveuse, mais son interlocutrice était incapable de ressentir la moindre pitié. Sa colère du matin resurgissait, plus implacable encore, et elle poursuivit avec une feinte compassion :

— Les choses seraient-elles terminées entre toi et M. Foster, par hasard ?

Megan ferma le robinet et resta un court instant muette. Puis la journaliste l'entendit balbutier :

— Euh... oui, en effet.

— Je vois... Mais peut-être est-ce préférable, n'est-ce pas ? Tu n'aurais pas aimé rendre une autre femme malheureuse, j'imagine...

42

Un nouveau silence, plus long, s'installa entre elles. La vendeuse traversa le couloir d'un pas pressé, et son amie la vit entrer dans sa chambre.

— Je vais m'étendre un peu, déclara Megan. J'ai un mal de tête épouvantable.

— Je comprends, susurra sa compagne. Je te préviendrai lorsque Tim arrivera.

Sur ce, elle se força à terminer sa salade. L'épreuve était commencée...

Une heure plus tard, on frappa quelques coups discrets à la porte et elle alla accueillir le photographe en souriant. Il répondit à son sourire d'un air contraint, et se pencha pour l'embrasser, mais elle recula vivement. Rougissant et mal à l'aise, il la suivit dans la cuisine.

— Quelle est cette histoire dont tout le monde parle au journal? questionna-t-il. Allez-vous devenir l'assistante de M. Burgess?

— Oui. N'est-ce pas une chance extraordinaire?

— Si, certainement... Avez-vous donc vraiment décidé d'accepter?

Il prenait l'air pensif, comme si la décision devait l'affecter lui aussi.

— Qu'en pensez-vous? rétorqua-t-elle. Que feriez-vous à ma place?

Elle s'éclipsa un instant et frappa à la porte de Megan.

— Meg? Tim est arrivé, lança-t-elle.

Une minute plus tard, la vendeuse les rejoignit dans la cuisine. Elle et le photographe échangèrent un sourire formel.

— Avez-vous appris la nouvelle? lança le jeune homme à l'adresse de la nouvelle venue. Sally se propose de travailler pour Adam Burgess...

— Tiens! Je l'ignorais, répliqua-t-elle, en tortillant nerveusement une mèche de ses cheveux blonds.

Tous deux mentaient, c'était évident. Ils avaient dû en discuter longuement, un peu plus tôt...

— Cela semble merveilleusement intéressant, reprit Megan, après avoir entendu les prétendues explications du photographe.

— Me conseilles-tu d'accepter ? interrogea Sally, d'une voix tendue.

— Pourquoi pas ? C'est une occasion inespérée, pour ta carrière, n'est-ce pas ?

— Et vous, Tim ? Vous ne m'avez pas encore donné votre avis...

— Je serai fort triste de me séparer de vous durant vos voyages, naturellement, mais je crois aussi qu'il serait dommage de refuser...

— Je ne serai pas seulement absente pour voyager, insinua-t-elle doucement. Je serai obligée de partir définitivement, de m'installer ailleurs...

Ce n'était pas vraiment exact, mais un sursaut désespéré l'amenait à souhaiter qu'il protesterait vigoureusement, la supplierait de l'épouser sur-le-champ, en oubliant le célèbre reporter...

— Ce sont les risques du métier, un journaliste doit être toujours prêt à prendre la route, répondit-il, avec un insupportable sourire.

Les jambes flageolantes, Sally se laissa tomber sur une chaise, s'efforçant de garder un visage impassible.

— Bien, murmura-t-elle, avec une feinte gaieté. Vous avez raison, en fait. Depuis quelque temps, vous avez des doutes sur notre relation, n'est-ce pas ?

Il esquissa un geste de dénégation et les traits de Megan se décomposèrent. Mais Sally ne les laissa pas placer un mot et poursuivit d'un ton ferme :

— Moi aussi, à vrai dire, j'ai eu des doutes et, après réflexion, je préfère partir.

Devant les deux autres, médusés, elle ôta sa bague de fiançailles et la posa sur la table.

— Naturellement, je vous rends cela... Adam Burgess est un homme charmant, le savez-vous ? Je suis enchantée de travailler pour lui. Nous nous sommes immédiatement très bien entendus...

Tout en parlant, elle savourait une amère victoire. Tim et Megan paraissaient tout déconfits. Ils s'attendaient à lui faire une peine immense, et elle semblait les abandonner sans regret, comme s'ils ne comptaient pas le moins du monde...

— Au fait, Tim, reprit-elle, du même ton faussement léger, de quoi vouliez-vous me parler ?

— Euh, de rien en particulier, grommela-t-il. Aucune importance.

— Vous m'étonnez, susurra-t-elle. N'aviez-vous pas l'intention de me raconter votre charmant week-end avec Megan ?

Les deux intéressés rougirent violemment, l'air pétrifiés et profondément coupables. Puis ils se mirent à crier tous les deux en même temps.

— Comment saviez-vous... s'exclama la vendeuse.

— Mais, Sally... bégaya le photographe.

La journaliste leur coupa la parole.

— Inutile de me fournir des explications... cela prendrait trop de temps, et je dois sortir.

Elle avait décidé de passer la nuit chez une amie ; il lui serait insupportable de rester dans son appartement.

— Je... je peux partir, si tu veux, chuchota Megan, d'un ton humble. Je ferai mes bagages pendant ton absence.

— Oh, ce n'est pas vraiment utile, rétorqua Sally, en se levant. Dès la fin du mois, j'aurai quitté cet endroit.

L'autre fondit en larmes.

— Nous t'aimons tellement ! sanglota-t-elle. Nous sommes réellement désolés... Tu es une amie si merveilleuse, irremplaçable !

— C'est exactement ce que je pensais de toi, jeta
l'ex-fiancée de Tim.

Et elle sortit.

Son amie, Joannie Wilkes, était antiquaire et vivait
dans une grande maison douillette, avec son mari et ses
deux jeunes enfants. Elle accueillit Sally et l'écouta avec
compassion. Son propre mariage était une véritable
réussite, et elle était fort triste du désespoir de la jeune
Doyle...

Légèrement réconfortée, cette dernière reprit le lendemain le chemin du journal. Peu après son arrivée, le
téléphone sonna sur son bureau.

— Ici Vanessa Westmorland, fit une voix mélodieuse. J'ai à vous parler...

— Je vous écoute, assura l'autre, la gorge serrée.

— Avez-vous vraiment l'intention d'accepter l'offre
de M. Burgess, Miss Doyle ?

— Oui, répliqua simplement son interlocutrice, sou-
cieuse de n'être pas entendue par ses collègues.

— Je vois... Eh bien, permettez-moi de vous mettre
en garde. Adam peut se montrer particulièrement
irascible, et je n'aimerais pas me trouver à la place de
quiconque tenterait de le faire chanter.

L'actrice raccrocha. Immobile, le cœur battant, Sally
écouta un instant le grésillement monotone de la ligne,
avant de reposer à son tour l'écouteur.

3

La journaliste essuya machinalement avec son mouchoir la paume moite de ses mains. Depuis ce coup de téléphone, elle se souvenait des dernières paroles du reporter : « Si l'un de nous doit se repentir de notre association, ce sera plutôt vous que moi... »

Mais elle ne s'était livrée à aucun chantage ! songeait-elle au bord des larmes. Il n'avait pas voulu — ou pas pu croire à sa sincérité. Aurait-elle dû refuser l'emploi d'assistante ? Peut-être. Mais, sur le moment, cela lui avait semblé la seule échappatoire possible à une situation insupportable... Adam Burgess devait passionnément aimer Vanessa, pour se laisser ainsi convaincre d'engager une inconnue dont il n'avait rien à faire. L'aimer ou, en tout cas, tenir profondément à elle, pour des raisons probablement plus sensuelles que sentimentales...

L'élégante Karen l'interrompit dans ses réflexions.

— Sally, allez-vous garder vos meubles, à présent que vous déménagez ?

L'intéressée fronça les sourcils. Son mobilier, entassé dans le sous-sol, lui était totalement sorti de l'esprit.

— Sinon, j'aimerais beaucoup vous acheter le petit secrétaire, poursuivit l'autre.

Sally réfléchit un instant. Elle n'avait aucun désir de

conserver ces objets, choisis pourtant avec tant d'amour. Ils lui rappelleraient de trop mauvais souvenirs...

— Entendu, répondit-elle impulsivement. A condition que... que vous vous chargiez vous-même de venir le chercher.

— Bien sûr ! s'écria Karen, enchantée.

Elle proposa un prix, et son interlocutrice l'accepta sans discuter.

— Etes-vous sûre de... de ne pas regretter ? s'inquiéta sa collègue. De ne plus jamais vouloir épouser Tim, aménager une demeure avec lui ?

— J'en suis certaine, assura sèchement la journaliste.

Le soir même, elle fit part à Joannie de son intention au sujet des meubles. Celle-ci fut désolée, car elle en avait sélectionné plusieurs avec soin, mais elle comprit les arguments de son amie.

— Je... je dois repartir à zéro, expliqua cette dernière. Effacer toute trace du passé...

Après avoir quitté l'antiquaire, elle rentra chez elle. Megan avait disparu dans sa chambre et ne se manifesta pas. Sally soupira ; les deux semaines restant jusqu'au mois suivant paraîtraient bien longues...

Sa tante téléphona pour prendre de ses nouvelles et elle saisit cette occasion pour la mettre au courant avec tact.

— J'ai rendu sa bague à Tim, Emma. Et je... je vais partir à la fin du mois.

— Avec M. Burgess, n'est-ce pas ? Est-il gentil avec toi ?

— Euh... je ne sais pas encore. C'est un homme dur, intelligent, qui peut certainement se montrer cruel... mais je pense que nous nous entendrons très bien, se hâta-t-elle d'ajouter.

— Viens nous voir bientôt, nous t'attendons.

La jeune femme promit et raccrocha.

Quelques jours plus tard, son article au sujet du reporter parut en première page. Le même soir, un journaliste de l'un des plus célèbres magazines londoniens appela Sally à son bureau. Ainsi, elle allait devenir l'assistante du célèbre personnage ? Oui, absolument. L'avait-elle rencontré pour la première fois le jour de l'interview ? Oui également. Avait-elle lu leur article sur M. Burgess ? Cette fois, elle sourcilla. Non, elle ne l'avait pas lu, mais ne manquerait pas de le parcourir.

Elle fouilla dans la pile du courrier, dénicha la luxueuse revue et chercha l'interview en question.

Burgess se déclarait charmé par sa nouvelle collaboratrice, qui était intelligente, jolie, active et d'agréable conversation.

L'homme ne mentionnait nulle part les capacités journalistiques de la jeune femme... En revanche, l'article se concluait par cette phrase :

« Nous sommes heureux de voir que notre illustre confrère vient de trouver une autre compagne. En effet, depuis le récent mariage de Vanessa Otterbury, son ancienne fiancée, il paraissait solitaire et parfois même morose. Bonne chance à tous deux ! »

Sally rougit violemment et reposa le magazine avec irritation. Dieu sait quelles rumeurs allaient se développer à la suite de commentaires aussi ambigus ! Certes, cela fournirait au reporter une couverture parfaite pour ses amours avec Vanessa, même si cette dernière ne semblait pas trop heureuse de l'arrangement... Sally comprenait à présent pourquoi l'homme avait embauché sans hésiter l'envoyée de *L'Echo de Radchester*. Cela servait merveilleusement ses intérêts.

Le reste du mois fut particulièrement pénible. Chaque week-end, la jeune femme se rendait chez son oncle et sa tante ; elle devait expliquer en long et en large les détails de sa nouvelle situation et les caractéristiques d'Adam qui, ils en étaient convaincus, « avait été séduit dès la première rencontre » par leur irrésistible nièce.

Megan se montra seulement le dernier samedi, au petit déjeuner. Une heure plus tard, Sally prendrait la route pour la villa de M. et Mme Barnett d'où elle partirait directement, le lundi matin, pour rejoindre son nouvel employeur.

— Tu t'en vas aujourd'hui ? dit-elle, en pénétrant dans la cuisine. Je... je te souhaite bonne chance.

— Merci, répondit platement son amie.

La blonde vendeuse posa nerveusement sa tasse vide dans l'évier, puis se retourna et lança d'un trait :

— Pourrions-nous redevenir amies, Sally ? J'y tiens énormément, et Tim également.

L'autre haussa les sourcils. Comment saurait-il être question d'amitié entre eux, alors qu'ils l'avaient bafouée et trompée avec si peu de considération ? En fait, Meg avait besoin d'être rassurée, pour soulager son sentiment de culpabilité... La journaliste aurait pu rétorquer par des paroles dures, bien senties, mais elle n'en avait pas le cœur. Elle ressentait trop de lassitude.

— Pourquoi pas ? déclara-t-elle à voix basse.

Si la jeune Somers ne voyait vraiment aucune raison de rester fâchées, cette réponse la satisferait. Ce fut le cas ; elle eut un grand sourire et affirma :

— Tu es heureuse, à présent, n'est-ce pas ? Tu vas commencer un travail passionnant, avec un homme extraordinaire... Tu ne regrettes rien, c'est sûr ?

— Mais non, voyons ! protesta Sally, avec une imperceptible ironie.

Elle partait pour l'inconnu, en compagnie d'un homme redoutable dont elle ne connaissait rien... Mais, à part cela, tout allait bien ! Megan était vraiment inconsciente !

— Eh bien, au revoir, conclut la journaliste.

— Au revoir, et encore bonne chance.

— J'ai une chance fabuleuse, persifla Sally.

Le plus étrange, c'était que la future fiancée de Tim semblait en être convaincue.

Le lundi matin enfin arrivé, la nièce d'Emma gara sa voiture devant l'allée menant au manoir campagnard d'Adam Burgess. Les pelouses étaient tondues de frais ; un jardinier avait donc probablement été embauché depuis la dernière fois. La jeune femme frappa à la porte, s'attendant à être accueillie par une gouvernante. Il paraissait invraisemblable que le reporter laisse sa demeure inhabitée durant ses longs voyages... Cependant, il vint lui-même ouvrir.

— N'avez-vous aucun domestique pour faire entrer les visiteurs ? demanda-t-elle avec nervosité.

— Vous pourrez vous en charger vous-même, à présent que vous êtes ici, répliqua-t-il brièvement.

Il s'éloigna sans autre forme de procès, et Sally le suivit le long d'un couloir. Elle se sentait extrêmement mal à l'aise. N'aurait-elle pas dû refuser cet emploi, et en chercher un autre, même plus ordinaire ?

Ils pénétrèrent dans une pièce de dimensions moyennes servant visiblement de bureau. Des étagères surchargées de livres couraient le long des murs. Une table de travail, plus petite, mais encore plus encombrée que celle du salon, avait été poussée dans un coin. Le sol carrelé n'était recouvert d'aucun tapis et nulle gravure ne venait distraire le regard. L'endroit devait être réservé aux travaux les plus délicats, nécessitant une intense concentration. L'atmosphère rappelait un peu celle d'une cellule de couvent.

C'était étrange. A la télévision, M. Burgess donnait une telle impression d'élégance que l'on s'attendait à le voir travailler dans un environnement luxueux. C'était loin d'être le cas ; et, comme la dernière fois, il s'était habillé de façon assez négligée. L'un des boutons de sa chemise manquait et ses pieds étaient chaussés de simples espadrilles usées.

— Eh bien ? fit-il, en haussant les sourcils.

Sally rougit, se rendant compte qu'elle l'observait sans discrétion depuis plus d'une minute. Impossible de répondre « je... je pensais vous trouver avec une cravate » ! Elle garda le silence et il l'invita d'un geste à s'asseoir. Lui-même resta debout, le regard fixé sur sa visiteuse. Même dans une tenue peu apprêtée, songea-t-elle avec un léger trouble, il rayonnait d'assurance et d'autorité.

— J'ai lu votre article, indiqua-t-il. « Le jour où j'ai changé votre vie... »

Il grimaça comme s'il s'agissait d'un jeu de mots de mauvais goût, et la jeune femme préféra changer de sujet.

— Mme Westmorland m'a téléphoné, déclara-t-elle.

— Je sais, elle me l'a appris.

— Vraiment ? Vous lui avez certainement expliqué combien ma présence à vos côtés était utile pour donner le change... Du moins à son mari !

Loin d'être déconcerté par cette attaque, il éclata d'un rire sonore.

— Vous avez fort bonne opinion de vous-même, petit « œil-de-lynx » ! murmura-t-il.

— « Œil-de-lynx » ? répéta-t-elle mécaniquement, sans comprendre.

— Ce surnom ne vous convient-il pas à merveille ? Vous reconnaissez un visage à vingt mètres, derrière une fenêtre...

Il faisait allusion à sa première visite. Elle rougit violemment, surprise par son ironie. Il semblait maîtriser complètement la situation. Mieux valait ne pas poursuivre la conversation sur ce terrain glissant.

— Quel travail dois-je accomplir ? demanda-t-elle, d'un ton professionnel.

Il cessa de la fixer et son visage redevint sérieux. Montrant du doigt une pile de papiers manuscrits, posés à côté de la machine à écrire, il rétorqua ;

— Commencez par taper cela... Vous savez vous servir d'une machine à écrire, naturellement ?

— Oui.

— Arrivez-vous à déchiffrer mon écriture ?

Elle se pencha sur la première page. Il s'agissait d'instructions destinées à un architecte, à propos des travaux à entreprendre dans la demeure : refaire une partie du toit, modifier l'installation de la cuisine...

— Je comprends parfaitement, assura-t-elle, en hochant la tête.

— Comme vous le voyez, j'ai commandé une série de réparations. Elles dureront quatre ou cinq mois.

Il s'interrompit un instant, et ajouta :

— Connaissez-vous l'Amazonie ?

— Non, pas du tout.

— J'ai l'intention de m'y rendre très bientôt. Naturellement, comme vous êtes mon assistante, vous devrez me suivre.

Il souriait d'un air provocant. « L'Amazonie ! Mon Dieu ! » songea Sally avec un léger effroi. Mais elle n'en montra rien et répliqua d'une voix à peine incertaine :

— Cela semble... très intéressant.

Adam eut un nouveau rire, aussi franc que le premier.

« Du moins, il est doté d'une joyeuse nature ! » se dit intérieurement la jeune femme, réprimant un soupir. La situation prenait un tour inquiétant. Elle redoutait même les araignées les plus minuscules, ne pouvait supporter la vue d'un serpent, fût-ce sur une simple photographie, et il parlait de l'entraîner dans la jungle !

— A quoi vous attendiez-vous ? interrogea-t-il sèchement, comme s'il devinait ses pensées. A courir les défilés de mode parisiens ?

— Certainement pas, protesta-t-elle, en avalant sa salive.

— Avez-vous quelques notions de géographie ?

— Euh… En ce qui concerne l'Amérique du Sud, pas vraiment, non…

Il sortit de sa bibliothèque un atlas monumental et l'ouvrit sur le bureau.

— Voici le Brésil, l'Equateur, la Colombie et le Pérou. La rivière Putamayo, indiqua-t-il en montrant une fine ligne noire, se jette dans l'Amazone à cet endroit, formant un triangle équilatéral avec le fleuve Japura.

Le triangle en question était un vaste espace blanc, sans aucun nom. Adam le désigna du doigt et poursuivit d'une voix enthousiaste :

— On ne trouve ici que la jungle la plus profonde. Alligators, serpents, sangsues, tiques, de temps à autre un jaguar…

Sally frissonna.

— Passionnant ! balbutia-t-elle.

— Et au centre, ajouta l'homme, il y a les restes de l'antique cité de Purumaxi.

Purumaxi ! Un flot de souvenirs envahit l'esprit de la journaliste. Quelque temps auparavant, une émission de télévision — organisée par Adam lui-même — avait présenté les merveilleux vestiges de la civilisation inca.

— Il s'agit des Incas, n'est-ce pas ? s'enquit-elle avec un intérêt nouveau.

Elle admirait profondément cette race d'hommes fiers et cruels, qui avaient régné durant plusieurs siècles sur un immense empire. Leurs temples étaient ornés d'or, de jade, de lapis-lazuli…

— Une petite équipe d'archéologues y travaille encore actuellement, souligna-t-il.

— Et vous avez l'intention de les rejoindre ?

— Oui. Avec vous, si vous acceptez toujours de collaborer...

Jusqu'à présent, la jeune femme avait connu une existence citadine, protégée, et il le savait. Elle n'était pas particulièrement sportive. Serait-elle capable de survivre plusieurs mois dans l'étouffante forêt équatoriale ? Le reporter devait être convaincu du contraire. C'est pourquoi il ne risquait pas grand-chose à l'avoir embauchée ; il était probablement certain de son refus...

Il allait être surpris, songea-t-elle, intérieurement amusée. Elle avait beau être terrorisée par les animaux féroces cités par M. Burgess, elle ne reculerait pas. Son honneur était en jeu. En outre, l'expérience, pour éprouvante qu'elle paraisse, se révélerait certainement passionnante.

— Je ne suis jamais allée dans la jungle, annonça-t-elle, d'un ton léger. Je meurs d'envie de connaître cela. Quand partons-nous ?

Légèrement déconcerté, il la dévisagea longuement.

— Ne vous faites aucune illusion, ma chère, déclara-t-il enfin. Ce voyage n'aura rien de commun avec une croisière de luxe.

— Je m'en doute.

— Vous n'y survivrez pas ! insista-t-il.

— Ni vous ni vos amis n'en sont morts, n'est-ce pas ? Depuis combien de temps les archéologues sont-ils sur place ?

— Depuis plusieurs mois... Mais ils ont une autre résistance que la vôtre !

Une lueur d'ironie méprisante passa fugacement dans ses yeux sombres. Sally se raidit. Elle n'était pas très résistante, c'était exact ; sa peau fragile craignait le soleil et elle redoutait les piqûres d'insectes. Cependant, visiter la merveilleuse cité inca serait un souvenir inoubliable pour le reste de son existence, et elle ne s'en priverait pour rien au monde.

— Alors ? répéta-t-elle doucement. Quand partons-nous ?

Adam haussa les épaules, comme s'il renonçait à la faire changer d'avis.

— Sitôt que vous aurez votre visa et que vous aurez subi les vaccinations nécessaires : fièvre jaune, typhoïde…

La jeune femme sortit son calepin et prit en note ses diverses recommandations.

— Merci, dit-elle, en reposant son crayon.

— Ne me remerciez pas, jeta-t-il en riant. Lorsque vous aurez posé le pied à Purumaxi, vous me maudirez de vous y avoir conduite et me supplierez de rentrer sur-le-champ.

— Je suis plus forte qu'il n'y paraît, protesta-t-elle sans y croire.

— Espérons-le !

Il quitta la pièce un moment, la laissant taper à la machine les feuilles manuscrites concernant les travaux. Lorsqu'il réapparut, il lui tendit une adresse griffonnée sur un morceau de papier.

— Vous avez rendez-vous à quatorze heures trente chez le docteur Raymond, expliqua-t-il. Il vous fera toutes les injections nécessaires.

— Bien… Dois-je revenir ici, après ?

— Non, vous pouvez rentrer chez vous. Au fait, où habitez-vous ?

— A Radchester. Je partage un appartement avec… une autre jeune femme.

Elle avait failli dire « une amie », mais n'avait pu s'y résoudre.

— Si vous le souhaitez, vous pourrez utiliser ma chambre d'amis. Je travaille un peu à n'importe quelle heure et cela peut s'avérer utile.

— Merci, j'y réfléchirai. Y a-t-il d'autres habitants dans la maison ?

— Pourquoi? Vous inquiétez-vous pour votre réputation?

— Pourquoi pas? riposta-t-elle, agacée. J'ai parfois des idées un peu démodées.

— Mais qui n'excluent pas le chantage, apparemment, persifla-t-il.

Ainsi, il s'en tenait toujours à cette explication... Sally ne répliqua pas.

— Jusqu'à notre départ, vous travaillerez ici comme secrétaire.

— Puis-je amener ma machine portative? La vôtre est dans un état épouvantable.

— Il y en a une électrique dans le placard... Vous avez tout loisir de l'utiliser. Moi, j'ai l'habitude de mon vieil engin.

Il exhiba la machine électrique, flambant neuve, et le reste de la matinée fut consacré à diverses tâches.

La journaliste n'eut pas une minute de répit. Il fallait mettre au point une demi-douzaine d'articles. Adam dictait debout, marchant de long en large, sans jamais s'arrêter. Son énergie semblait inépuisable.

Lorsque le téléphone sonna, il décrocha en étouffant un juron et la jeune femme s'adossa sur son siège, en fermant les yeux. Le rythme était épuisant. A présent, elle comprenait pourquoi il n'avait eu auparavant ni assistante ni secrétaire! Personne ne résisterait longtemps à un tel traitement... A moins que le reporter ne se montre intentionnellement dur avec elle. C'était une possibilité parfaitement vraisemblable.

A midi, le dos raide, la nuque douloureuse, elle lança:

— Je dois partir dans une heure chez le médecin... Ne voulez-vous pas manger quelque chose?

— Non, répliqua-t-il en plongeant le nez dans un dossier. Servez-vous à la cuisine si vous avez faim. Et revenez ici, vous mangerez en travaillant.

— De quelle façon ? riposta-t-elle. Je n'ai que deux mains !

Il leva les yeux, la fixant avec un mépris froid, l'air légèrement menaçant. Elle soutint son regard sans ciller ; il n'existait entre eux aucune sympathie, aucune concession.

Elle quitta la pièce sans un mot. La cuisine était impeccable, quoique équipée d'un anachronique fourneau à bois et d'un vieil évier. Sally ouvrit le réfrigérateur, coupa une tranche de pâté et se confectionna rapidement un sandwich. Puis elle se versa un verre de lait et ramena le tout dans le bureau.

— Etes-vous vraiment sûr de ne rien désirer ? Je pourrais vous préparer aussi un sandwich, proposa-t-elle.

— Merci, je mangerai plus tard.

Il recommença à dicter sitôt qu'elle fut assise, et la jeune femme fut obligée d'avaler son déjeuner bouchée par bouchée, entre chaque phrase, en menaçant plusieurs fois de s'étrangler.

A deux heures, elle se leva pour partir.

— Je ne veux pas être en retard à mon rendez-vous, expliqua-t-elle.

— Très bien.

Adam ne redressa même pas la tête, ne lui dit même pas au revoir. Sally bouillait de colère en reprenant sa voiture. Pourvu que les autres membres de l'expédition, en Amazonie, se montrent plus souples et plus accueillants ! Sinon, le séjour serait infernal...

Le médecin exécuta rapidement les injections tandis qu'elle se détournait, appréciant fort peu les piqûres. Puis il disposa deux pansements sur son bras et déclara :

— Voilà. Vous vous sentirez fatiguée pendant un ou deux jours, ne travaillez pas trop. Au cas où vous auriez un peu mal, prenez ces comprimés. Vous avez bien de la chance d'accompagner M. Burgess ! Il mène une vie si exaltante...

58

La journaliste sourit faiblement. Son interlocuteur était un jeune homme grand, bien bâti, aux muscles saillants sous sa chemise. Adam aurait sans nul doute préféré sa compagnie à celle de sa « secrétaire » pour affronter la jungle... Mais il n'avait pas le choix. Elle partirait, quelles qu'en soient les conséquences.

En sortant du cabinet médical, elle se dirigea vers la bibliothèque municipale pour y choisir des ouvrages sur les Incas qu'elle consulterait tranquillement durant la soirée.

Lorsqu'elle pénétra dans la cuisine de son appartement, Tim et Megan étaient en train de se préparer à dîner. Leur intimité paraissait si grande, que Sally en eut les larmes aux yeux.

Ils levèrent la tête à son entrée. Le photographe était visiblement encore plus mal à l'aise que sa compagne.

— Nous ne nous attendions pas à te voir, s'exclama celle-ci. Adam Burgess ne t'a-t-il pas invitée à dîner pour célébrer votre première journée de travail en commun ?

— Non. Je dois me reposer durant un jour ou deux, car je viens d'être vaccinée contre le choléra et la typhoïde. Jeudi, ce sera le tour de la fièvre jaune...

Elle posa sa pile de livres sur la table. Sur la couverture du premier, s'étalait une superbe et éclatante gravure d'un chef inca.

— Car dans une semaine, poursuivit-elle d'un ton léger, je m'envole pour l'Amazonie. Nous allons rejoindre une expédition archéologique.

Le couple ouvrit de grands yeux.

— L'Amazonie ? répéta Tim, d'un air incrédule.

— Oui, Adam a déjà fait plusieurs émissions sur Purumaxi, la cité des Incas... Certains de ses amis s'y trouvent encore actuellement.

Megan examina les ouvrages avec envie.

— C'est fascinant ! s'écria-t-elle. Et tellement romantique... Les vestiges d'anciens temples perdus dans la jungle...

— « Romantique » me semble un terme tout à fait inadéquat, intervint sèchement son compagnon. La forêt équatoriale est un endroit particulièrement redoutable.

— M. Burgess prendra soin de Sally, protesta la vendeuse.

L'intéressée hocha la tête, bien qu'elle n'en fût absolument pas convaincue intérieurement.

— Evidemment, reprit pensivement Tim, on doit pouvoir faire des photos extraordinaires de ces ruines... Vous avez de la chance, Sally.

— Ces Incas avaient des mœurs particulièrement cruelles, n'est-ce pas ? interrogea Megan, avec un petit frisson. Ils arrachaient le cœur de leurs victimes pour l'offrir à leurs dieux...

La journaliste acquiesça brièvement. La présence des deux autres lui pesait, et sa tête devenait douloureuse.

— Le temps des sacrifices est terminé, cependant, déclara-t-elle en se forçant à sourire. Les habitants actuels de la jungle sont certainement beaucoup plus pacifiques.

— Connaissez-vous les autres membres de l'expédition ? demanda son ex-fiancé.

Son expression rappelait celle d'un père de famille soucieux des bonnes fréquentations de sa fille. Dans d'autres circonstances, c'eût été parfaitement comique.

— Ceux qui sont sur place ? Non, répondit-elle, à voix haute. J'ignore jusqu'à leurs noms... Adam m'en parlera demain, probablement.

— Tout ceci est merveilleusement excitant, murmura la vendeuse... Je suis presque jalouse... Au fait, as-tu dîné ?

Elle contempla la table et ajouta en balbutiant :

— Je ne sais pas s'il y aura assez pour trois personnes.

— Ne t'inquiète pas, je n'ai pas faim. D'ailleurs, les vaccins me fatiguent et je serai aussi bien au lit avec un verre de lait.

— Ne crois pas... commença Megan.

Mais l'autre avait déjà rassemblé ses livres et quitté la pièce.

Il fallait accepter l'offre de M. Burgess concernant sa chambre d'amis. Il était trop insupportable de vivre sous le même toit que Tim et Megan, se dit-elle en s'installant confortablement sous les couvertures.

Avant de se lancer dans sa lecture, elle écrivit une longue lettre à son oncle et sa tante pour les prévenir de son prochain voyage. Elle promit de passer les voir avant son départ ; elle devrait les rassurer, mais la tâche serait délicate... Prétendre être enthousiasmée par la jungle, alors qu'au fond d'elle-même elle se sentait terrifiée, était un exercice assez périlleux.

L'enveloppe une fois cachetée et rangée dans son sac, elle ouvrit le premier ouvrage. L'histoire des Incas était fascinante mais certains épisodes lui glacèrent littéralement le sang. Lorsque Sally sombra dans le sommeil, beaucoup plus tard, ses rêves furent emplis de masques grimaçants, de sacrifices sanglants et de serpents gigantesques se glissant insidieusement dans d'immenses palais en ruine...

En s'éveillant le lendemain matin, l'image de ses cauchemars était encore présente à son esprit. Elle esquissa une légère grimace ; il fallait espérer que la réalité serait moins épouvantable.

Megan était déjà levée et elle proposa une tasse de café à sa colocataire.

— A quelle heure penses-tu rentrer, ce soir ? questionna-t-elle.

— Je dormirai probablement chez M. Burgess. Nous travaillerons sans doute très tard, et il m'a offert d'utiliser sa chambre d'amis.

— C'est très aimable à lui, commenta la vendeuse, avec une légère surprise.

— Oui, n'est-ce pas ?

Sally déjeuna en hâte et gagna sa voiture. A son arrivée chez le reporter, une femme entre deux âges, vêtue d'un tablier blanc immaculé, vint lui ouvrir la porte.

— Miss Doyle ? s'enquit-elle avec gentillesse. Je suis Mme Lovatt.

Elle n'ajouta aucune explication, comme si l'autre était déjà au courant de son existence.

— Bonjour, salua la jeune femme en souriant, ne sachant si elle avait affaire à une femme de ménage ou à une gouvernante.

L'accorte personne la conduisit dans le bureau où Adam Burgess se trouvait déjà. L'épuisant rythme de travail de la journée précédente se répéta exactement de la même manière. A midi, Mme Lovatt apporta un plateau chargé de fruits et de sandwiches qu'ils grignotèrent sans s'arrêter. Un peu plus tard, le directeur de *L'Echo de Radchester,* informé par Tim du voyage en Amazonie, téléphona à son ancienne journaliste pour la prier de rédiger quelques articles pour eux. Sally reposa un instant le combiné et s'adressa au reporter, afin de lui demander son autorisation.

— Ecrivez tous les articles qui vous chantent, lança-t-il, si vous en trouvez la force...

Elle donna son accord et raccrocha.

Vers la fin de l'après-midi, la tête lui tournait et son bras vacciné l'élançait douloureusement. La nuit commençait à tomber lorsque Adam se leva enfin en s'étirant et s'écria :

— Fini pour aujourd'hui !

Sa compagne se mordilla les lèvres. Elle n'avait aucun désir de rencontrer Tim et Megan une nouvelle fois...

— Vous avez mentionné hier une chambre d'amis, fit-elle d'un ton hésitant. Est-ce que par hasard...

— Première porte à droite, à l'étage, répliqua-t-il brièvement.

— Merci.

— Ma gouvernante est rentrée chez elle, et moi-même je m'apprête à sortir. Vous avez donc toute la maison pour vous.

Une fois seule, Sally prit dans sa voiture la petite mallette où elle avait rangé ses affaires de nuit et monta dans sa chambre. La pièce, quoique simplement meublée, s'avéra fraîche et accueillante. La jeune femme avala deux aspirines puis se glissa dans le lit avec un autre ouvrage concernant les Incas.

Comme la veille, le récit était à la fois fascinant et horrible. L'un des rois les plus farouches, racontait un chapitre, avait ordonné le massacre de sa famille entière, y compris ses propres enfants, pour mater une rébellion. Leurs cœurs arrachés avaient été éparpillés sur le sol, pour servir d'exemple à d'éventuels révoltés... Sally esquissa une petite grimace et se pencha sur une illustration : les bijoux d'or pur étaient à la fois splendides et barbares, les couleurs éclatantes...

De nouveaux cauchemars vinrent la hanter. L'un d'eux lui laissa une impression particulièrement vivace. Elle errait dans un immense palais, perdu dans une brume glauque et verdâtre, presque sous-marine. Dans l'une des salles, un roi paré de plumes trônait sur un siège d'or ciselé. Son visage paraissait terrifiant et la fugitive se mettait à hurler...

Elle s'éveilla. Le dernier cri s'étouffa dans sa gorge au moment où la porte de sa chambre s'ouvrait violemment et où la lumière s'allumait.

Adam Burgess se tenait debout sur le seuil, vêtu d'une ample robe de chambre. La jeune fille devint écarlate.

— Que vous arrive-t-il ? lança-t-il, avec un regard aigu.

— Je... j'ai eu un terrible cauchemar. Je suis absolument désolée.

— Un quoi ? interrogea-t-il sèchement.

Elle se mordit les lèvres ; l'homme faisait visiblement un effort surhumain pour garder son calme...

— Un rêve, un cauchemar.

Il s'appuya contre le chambranle.

— Ce genre d'incident se produit-il souvent ?

— D'ordinaire, jamais. Mais j'ai lu un livre sur les Incas avant de m'endormir, et...

— Si une simple lecture provoque une telle réaction, rétorqua-t-il d'une voix glaciale, nous avons tout intérêt à avoir une petite conversation demain matin.

— Je...

Il s'était déjà éloigné. Sally était effondrée ; ne risquait-il pas de refuser de l'emmener ? Il lui faudrait se battre pied à pied pour le convaincre, expliquer qu'elle se sentait nerveuse à la suite des vaccinations... Elle lui cacherait une seule chose : que l'homme à la couronne de plumes, assis sur son trône, avait le visage même du reporter.

4

Sally se réveilla à nouveau quelques heures plus tard, détendue et reposée, malgré les événements de la nuit. Aucun bruit ne troublait encore le silence de la demeure. Elle passa dans la salle de bains, s'habilla et coiffa soigneusement ses longs cheveux auburn. Puis elle souligna de vert ses grands yeux noisette et descendit à la cuisine.

Mme Lovatt s'y trouvait déjà. Elle sourit largement à la nouvelle venue :

— Bonjour, Miss. Puis-je vous servir le petit déjeuner ?

— Je prendrai simplement une tasse de café, merci infiniment. M. Burgess est-il levé ?

La gouvernante fronça les sourcils, comme si la question la surprenait. Ignorait-elle donc que Sally avait occupé la chambre d'amis ? C'était irritant, cette obsession de tout le monde à faire d'elle la nouvelle maîtresse du reporter, songea la jeune femme. S'ils avaient connu leur antipathie mutuelle...

— Oui, répondit néanmoins l'autre en versant dans une tasse un liquide odorant. Il est dans le bureau.

Sa tasse à la main, la journaliste s'y rendit.

— Je vous présente toutes mes excuses pour vous avoir dérangé cette nuit, annonça-t-elle, en pénétrant

Demain peut-être à Purumaxi.   3.

dans la pièce. Mon sommeil agité était uniquement dû aux injections. J'avais un peu de fièvre... A présent, je me sens en pleine forme.

Elle rougit légèrement sous le regard perçant du reporter. Allait-il lui proposer de se reposer ? Il se contenta de hausser les épaules en branchant la machine électrique et lança :

— Au travail... Nous avons un article à terminer, et une équipe de télévision doit venir plus tard dans la matinée.

— Vraiment ? Pourquoi ?

— Pour m'interviewer sur Purumaxi.

— Oh ! Je vois. Est-ce pour cette raison que vous portez une cravate, ce matin ?

Il éluda la question d'un geste et reprit :

— Etes-vous déjà passée à la télévision, Sally ?

— Moi ? répliqua-t-elle, d'une voix étranglée. Non, naturellement !

— Ce sera donc votre première expérience de ce genre. Ils désireront certainement vous poser quelques questions, dans la mesure où vous faites partie de l'expédition.

Son interlocutrice se sentit blêmir. Adam avait l'habitude des caméras, mais elle-même craignait d'être intimidée et de bafouiller lamentablement.

— Que... que devrai-je leur dire ? s'enquit-elle, d'un ton mal assuré.

— Pas grand-chose, ne vous inquiétez pas, jeta-t-il.

En somme, songea-t-elle avec une colère mêlée d'ironie, on lui demanderait simplement de jouer le rôle d'une jolie femme plus décorative qu'intelligente... La situation était de plus en plus désagréable. Elle assumait le travail de deux secrétaires en pleine santé, malgré sa lassitude, et le reporter ne paraissait même pas s'en apercevoir. Le seul point positif était qu'il semblait avoir oublié la « petite conversation » promise : il l'emmenait toujours en Amérique du Sud. Sally était prête à relever le défi, plus tellement à cause de Tim et de Megan, mais par rapport à elle-même. Elle prouverait sa capacité à résister, à vaincre ses peurs, même si ses cauchemars devaient s'avérer bien réels. Et, accessoirement, elle réussirait à en imposer à Burgess lui-même...

Deux heures plus tard, Mme Lovatt vint annoncer l'arrivée de l'équipe de télévision. Adam et son assistante se rendirent dans le living-room. Sur le seuil, devant les nombreux hommes debout dans la pièce, le reporter passa son bras autour des épaules de la jeune femme et annonça d'une voix joviale :

— Messieurs, je vous présente ma nouvelle collaboratrice !

La journaliste se raidit, horriblement mal à l'aise. A quel jeu jouait-il ? Pourquoi, en public, se départissait-il de l'extrême réserve qu'il observait dans l'intimité ?

— Nous sommes enchantés de la rencontrer, monsieur Burgess, rétorqua avec un sourire et un clin d'œil l'un des nouveaux venus. Le temps est magnifique, et si vous le permettez, nous ferons les prises de vue dans votre jardin.

Le petit groupe se déplaça à l'extérieur avec tout le matériel. Sally et son employeur prirent place sur le banc de bois, et après une rapide introduction du présentateur, rappelant l'histoire de Purumaxi, l'interview commença.

La jeune femme écouta avec attention les déclarations de son compagnon. Les membres de l'équipe archéologique, apprit-elle, étaient les suivants : Le Professeur Carl Wittenburg, de l'Université du Minnesota ; le docteur Manuel Perez, directeur des Etudes Anthropologiques de l'Université de Brasilia ; Lewis Kent, archéologue britannique ; enfin, Abel Rexham et sa femme, Sheila, détachés du *British Museum.*

— Tous sont d'excellents amis, conclut Adam Burgess d'une voix chaude. Nous travaillons ensemble depuis de longues années.

— Et Miss Sally Doyle, si je comprends bien, susurra le journaliste, en se tournant vers l'intéressée, doit vous accompagner... De quand date votre intérêt pour les Incas, Sally ?

La caméra s'était braquée sur elle, et elle rougit et pâlit tour à tour. Elle savait ce qu'elle aurait dû répondre : qu'elle avait toujours été passionnée par le sujet, le connaissait à fond...

— Euh... en fait, c'est assez récent, balbutia-t-elle.

— Et comment est-ce venu ?

— Je... j'ai emprunté plusieurs ouvrages à la bibliothèque, et...

Elle s'interrompit, la gorge serrée. Sans lui permettre de poursuivre, Adam saisit sa main et, devant des millions de téléspectateurs, déclara :

— Sally et moi nous sommes rencontrés il y a quelques jours à peine. Mais, déjà, je serais incapable de me séparer d'elle... C'est pourquoi je l'emmène avec moi...

— Une... lune de miel ? insinua l'autre.

— En quelque sorte, sourit le reporter.

La jeune femme retint une exclamation et devint écarlate ; heureusement, la caméra s'était détournée et son employeur reprenait le fil de la conversation.

Sitôt le tournage terminé, il lâcha sa main et Sally sauta sur ses pieds pour se réfugier dans le bureau. Elle bouillait de rage. Incapable de se remettre au travail, elle tourna en rond dans la pièce, en attendant le départ des journalistes. Sitôt qu'elle eut entendu la camionnette s'éloigner, elle se précipita dans le living-room.

Adam était paisiblement installé dans un fauteuil et lisait le journal.

— Avez-vous terminé de taper mon article ? demanda-t-il, en levant la tête.

— Non, pas encore, jeta-t-elle, en s'efforçant de se contrôler. Quand cette émission sera-t-elle programmée ?

— Ce soir ou demain, je ne sais pas exactement.

— Comment avez-vous osé vous conduire de cette façon ? Dois-je vraiment servir de couverture à votre relation avec Vanessa Westmorland ?

— Ma chère, je devais rendre plausible ma décision de vous embaucher. Une certaine aura sentimentale me paraissait nécessaire... Auriez-vous préféré parler de chantage ?

— Ne soyez pas ridicule. Rien ne vous forçait à utiliser le terme de « lune de miel ». Une lune de miel dans la jungle ! C'est grotesque !

Il éclata de rire.

— Ne serais-je pas un Tarzan tout à fait satisfaisant ? plaisanta-t-il. Et je vous vois bien en Jane, avec une ravissante guenon apprivoisée sur les genoux...

Il se calma devant son air furibond et ajouta :

— Ne vous inquiétez pas... Je me conduirai comme un parfait gentleman. Vous n'avez à craindre aucune avance de ma part.

Les yeux de Sally lancèrent des éclairs.

— Vous êtes odieux ! s'écria-t-elle.

— N'exagérons rien... Jusqu'à présent, je me suis montré tout à fait correct avec vous.

Il était redevenu sérieux et, dans sa voix, vibrait une irritation que la jeune femme jugea menaçante. Elle quitta la pièce pour se remettre au travail.

Le soir même, elle regagna son appartement. Son opinion avait changé ; mieux valait, après tout, endurer la présence de Tim et de Megan plutôt que les sarcasmes déplaisants de son employeur. Sitôt arrivée, elle décro-

69

cha son téléphone pour mettre son oncle et sa tante en garde contre les excès de l'émission.

— Je vais passer ce soir ou demain à la télévision, annonça-t-elle. A un moment, le reporter parle de lune de miel... Naturellement, c'est seulement une plaisanterie. Mon association avec M. Burgess est d'ordre strictement professionnel.

Mais ses paroles eurent un effet limité ; le week-end suivant, Emma, était convaincue qu'un tendre attachement liait les deux journalistes. Elle montra fièrement à sa nièce les titres des journaux : « Les amoureux en Amazonie »... « Adam et Sally dans la jungle pour quatre mois »... Les ragots allaient bon train.

Enfin, le jour du grand départ arriva, et, à la surprise de la jeune Doyle, Vanessa en personne se montra à l'aéroport pour faire ses adieux à son ex-fiancé. Une foule considérable se pressait autour des voyageurs et les flashes crépitaient de tous côtés. Sally, bizarrement, se sentait étrangement seule. Tous les amis de M. Burgess étaient venus l'accompagner ; mais aucun des siens ne s'étaient donné cette peine. Ils étaient encore trop embarrassés par sa rupture avec Tim... Un journaliste de la radio s'avança pour lui poser quelques questions, et elle y répondit avec plus d'assurance que la dernière fois. Son esprit était ailleurs.

Le décollage de l'avion fut annoncé. Vanessa sourit aux photographes et se pencha pour embrasser Adam. Puis elle se tourna vers la journaliste, lui serra la main et murmura avec une gentillesse étonnante :

— Je vous souhaite de revenir saine et sauve.

Faisait-elle allusion aux dangers de la jungle, ou à ceux plus indéfinis mais tout aussi certains que comportait le fait de voyager avec le célèbre reporter ? Car l'actrice était seule à savoir que Sally partait non pas avec son amoureux, mais avec son pire ennemi...

Durant cinq heures, le reporter et son assistante

furent assis côte à côte dans le jet qui les emmenait à New York, leur première étape. L'homme adressait à peine la parole à la jeune femme, et uniquement lorsque cela s'avérait strictement nécessaire. Il l'ignorait presque totalement, et elle aurait dû en faire autant, elle le savait. Mais elle trouvait difficile d'oublier cette troublante présence masculine à ses côtés.

Sitôt dans la capitale américaine, ils allèrent en taxi jusqu'à un immense hôtel, et Adam conduisit sa compagne à sa chambre, au trente-quatrième étage. Puis il disparut. Un peu plus tard, un domestique apporta le dîner. La jeune femme passa la soirée seule ; le reporter avait dû être invité chez des amis — car il connaissait New York aussi bien que Londres — mais ne s'était pas donné la peine de la distraire un peu de sa solitude...

La journée du lendemain se déroula de façon similaire. Petit déjeuner silencieux, aéroport, vol pour Quito, capitale de l'Equateur... A un certain moment, l'avion traversa une poche d'air et sembla se précipiter à toute allure sur les pics montagneux des Andes. Terrifiée, Sally retint un cri et agrippa le bras de son compagnon. En quelques secondes, ce fut terminé mais elle eut du mal à reprendre sa respiration, le cœur battant à tout rompre. Elle avait oublié qu'elle serrait toujours la manche d'Adam.

Il se tourna et lui jeta un regard dépourvu d'aménité.

— Vous aurez besoin de plus de sang-froid, affirmat-il sèchement. Je ne serai pas toujours à proximité.

Elle haussa les épaules et s'écarta de lui, sans répondre. Qu'il ne s'affole pas, plus jamais elle ne ferait appel à lui !

— Simple réflexe, laissa-t-elle enfin tomber, d'un ton glacial. Je n'ai aucune illusion sur votre désir de me secourir, en cas de danger.

Il lui lança un dernier regard énigmatique et se replongea dans sa lecture.

Deux des archéologues vinrent les accueillir à Quito. Le premier, Manuel Perez, serra chaleureusement la main du reporter et lui exprima longuement sa joie de le revoir. Sally réprima un soupir ; elle aurait aimé être reçue avec autant de sympathie... Son employeur se borna à la désigner d'un geste négligent en expliquant :

— Voici Sally Doyle, mon assistante. Elle espère être capable de gagner Purumaxi.

Le second archéologue, Juan Colthec, adressa à la nouvelle venue un sourire à la fois admiratif et compatissant. Il était plus jeune, très brun de peau et de cheveux. L'Anglaise remarqua une alliance à sa main droite.

— Juan est avec nous depuis peu, expliqua Manuel Perez. C'est l'un de mes meilleurs étudiants.

Tout en les suivant vers une voiture garée un peu plus loin, la journaliste jeta autour d'elle un regard émerveillé. Le paysage était féérique. Les montagnes entouraient complètement une vallée en forme de cirque, et les roches scintillaient sous le soleil avec des couleurs étonnantes : gris, mauve, lilas, corail...

— Les minéraux sont particulièrement intéressants, ici, souligna le vieil archéologue. Vous verrez des choses splendides.

Le véhicule traversa entièrement la ville pour rejoindre l'hôtel, et Sally ne perdit pas une miette du spectacle. Les minuscules échoppes succédaient aux églises baroques ; autochtones et touristes se mêlaient en une foule animée et bigarrée. La jeune femme monta se changer dans sa chambre, enfila une ravissante robe légère et retoucha son maquillage. Puis elle descendit retrouver les trois hommes à la salle à manger.

Manuel et Juan mettaient une note sympathique dans la conversation. Sans leur présence, songea Sally, elle aurait certainement dîné seule... Elle se demanda s'ils remarquaient qu'Adam ne lui parlait quasiment jamais.

Probablement pas ; ils étaient plongés dans une discussion trop passionnante.

Juan se pencha vers elle pour lui traduire le nom des plats exotiques indiqués sur le menu. Les *Lapingachos* étaient faits de pommes de terre et de fromage ; les *Humitas,* un mélange de viande et de maïs. La journaliste goûta les deux et trouva la nourriture particulièrement délicieuse. Tout aurait été parfait, si son employeur s'était montré moins froid, et si elle n'avait pas ressenti une telle lassitude après cet interminable voyage.

Quand les desserts et le café furent servis, Adam Burgess se leva et annonça qu'il devait « parler boutique » avec le docteur Perez.

— Cela ne vous intéresserait pas, déclara-t-il à sa collaboratrice. Juan sera probablement enchanté de vous montrer la ville en attendant.

L'intéressé acquiesça avec plaisir, mais la jeune femme se déroba.

— Je suis épuisée. Si cela ne vous dérange pas, je regagnerai immédiatement ma chambre. D'autant plus que nous reprenons la route dès demain, n'est-ce pas ?

Elle s'exécuta sans attendre la réponse et s'allongea sur son lit. Une horrible migraine lui martelait les tempes. Etait-ce le dépaysement, la nourriture, la fatigue ? Elle se sentait presque malade... Mais il fallait serrer les dents et résister. Ce n'était pas le moment d'abandonner... Calée contre ses oreillers, elle se força à admirer le superbe spectacle de la nuit tombant sur les montagnes, et à inscrire quelques notes dans son carnet.

Le lendemain matin, Sally était à peine reposée et son mal de tête menaçait toujours. Elle se maquilla avec un soin accru ; si Adam remarquait sa pâleur, il serait capable de la renvoyer par le premier avion.

Après le déjeuner, le petit groupe s'installa dans un camion spécialement aménagé et empli de matériel. Le reporter se mit au volant, Manuel prit place à côté de lui et les deux autres s'assirent derrière eux.

Au début, l'état de la route était à peu près satisfaisant, mais, au bout de quelques heures, le véhicule s'engagea sur une piste creusée de nid-de-poule et de profondes ornières. Ils avaient pris la direction des montagnes et s'élevaient régulièrement en altitude, en longeant d'impressionnants précipices. Pelotonnée entre les caisses, Sally fermait les yeux, terrifiée. Il faisait une chaleur de four mais elle s'interdisait d'émettre la moindre plainte. Lorsqu'ils s'arrêtèrent pour manger quelques galettes et boire un café hâtivement réchauffé sur un réchaud, elle se força à mâcher consciencieusement, tout en assurant ses compagnons qu'elle se sentait « vraiment très bien ». Adam ne devait surtout pas se douter de ses craintes et de ses malaises...

On l'avait prévenue d'emporter des vêtements chauds, des gants et des écharpes. Le froid de la nuit andine s'avéra particulièrement vif, après la canicule de la journée. La jeune femme s'était installée pour dormir dans son sac de couchage, à l'arrière du camion, mais elle frissonna jusqu'à l'aube, incapable de trouver le sommeil.

Le lendemain, à sa grande surprise, ils abandonnèrent le camion dans un minuscule village et chargèrent les bagages sur des mules. Eux-mêmes, lui expliqua-t-on, continuaient le chemin à cheval. Le trajet à dos d'animal, sur une selle particulièrement dure, était encore plus effrayant que celui de la veille. Les gorges encaissées succédaient aux ravins, et, de temps à autre, il fallait franchir des torrents tumultueux sur des ponts de planches, à peine plus larges que les sabots de leurs montures...

Derrière elle, les deux villageois embauchés comme porteurs bavardaient sans arrêt en espagnol, et ne

74

semblaient pas le moins du monde impressionnés par les périls du voyage. Ils y étaient accoutumés depuis l'enfance. A un moment, Sally aperçut un énorme oiseau, perché sur un rocher. Juan lui expliqua qu'il s'agissait d'un condor, ce vautour particulier aux Andes, dont l'habitude était de s'embusquer pour guetter sa proie, puis de foncer sur elle pour la faire tomber dans le précipice... D'une certaine façon, songea-t-elle, Adam Burgess ressemblait à l'un de ces condors. Elle avait l'impression d'être sa future victime, et s'efforçait de ne jamais chevaucher près de lui. Ses craintes étaient absurdes, elle s'en rendait compte, mais le regard perçant de l'homme la mettait extrêmement mal à l'aise.

Au quatrième jour de ce traitement, la fatigue et la migraine qui l'avaient saisie à Quito réapparurent avec une violence redoublée. Elle serrait les dents sur sa monture, plus morte que vive, et, le soir venu, s'abattit sur le sol de sa tente sans même pouvoir aider à la préparation du dîner.

Au bout de quelques instants, la lueur d'une lampe de poche lui fit ouvrir les yeux. Adam entr'ouvrit le panneau et demanda :

— Ne prendrez-vous pas un peu de soupe, Sally ?

Cette simple allusion à la nourriture donna à la journaliste une nausée insupportable. Elle se précipita à l'extérieur, courut quelques mètres plus loin et se mit à vomir. Sa tête lui causait une douleur atroce, comme si on l'avait encerclée d'une barre de fer. Elle arrivait à peine à trouver sa respiration.

Le reporter l'avait rejointe, et ses yeux brillaient dans l'obscurité, sans aucune expression de compassion.

— Mieux vaut retourner vous allonger, lança-t-il simplement.

Il lui saisit le bras et la soutint jusqu'à sa tente. La malade était folle d'inquiétude. Que se passait-il ? La fatigue seule ne pouvait expliquer une semblable réaction...

— Je vous croyais plus résistante, commenta-t-il pensivement.

Avec désespoir, elle dut admettre intérieurement qu'il avait raison. Si la simple traversée des montagnes la perturbait à ce point, qu'en serait-il de l'atmosphère étouffante de la jungle ? Malgré son obstination, sa tentative de tout supporter avait échoué. Si son état ne s'améliorait pas le lendemain, elle demanderait à rentrer à Londres.

. Sa petite chambre chez son oncle et sa tante lui paraissait soudain un véritable paradis. Quelle mouche l'avait piquée de venir ici, au beau milieu des Andes, dans une tente minuscule où s'engouffrait un vent glacial ? Et surtout, de suivre Adam Burgess qui se montrait particulièrement dur et la laisserait vraisemblablement mourir sans un regret...

Jamais elle ne s'était sentie aussi seule, et elle resta de longues heures à écouter les rugissements du vent, avant de trouver enfin le sommeil.

Comme par miracle, le lendemain matin, la barre de fer enserrant son crâne s'était envolée et la nausée semblait avoir disparu. Sally s'étira avec incrédulité, puis fronça les sourcils. Cette amélioration était peut-être seulement passagère ; elle avait déjà souffert deux fois, à Quito et la veille, et une nouvelle crise se présenterait peut-être... Lorsqu'elle émergea de son abri, un soleil radieux illuminait l'azur et les préparatifs du départ étaient presque achevés. Manuel et Juan, un peu plus loin, étaient occupés à charger les mules et ils la hélèrent gaiement, en lui demandant si elle avait surmonté son malaise. La jeune femme leur sourit faiblement. Elle allait mieux, mais était encore épuisée. Il faudrait prévenir Adam qu'elle renonçait au reste du voyage et avait trop présumé de ses forces. Bien sûr, elle ne verrait jamais Purumaxi, mais aurait déjà un certain nombre de choses à raconter et de paysages à décrire. Cela fournirait tout de même la matière de plusieurs articles...

Sally mit l'eau à chauffer pour le café et ne vit pas Juan s'approcher. Sa tristesse devait se lire malgré elle sur son visage, car il l'interrogea gentiment :

— Etes-vous... un peu déprimée ?

— Oui, je dois l'avouer, répondit-elle, en levant la tête.

— Ne vous inquiétez pas, c'est naturel. La *puna* produit souvent cet effet.

— La *puna* ?

— La maladie des montagnes. Elle est causée par la rareté de l'air en altitude, et touche aussi bien les chevaux que les hommes.

Il sourit d'un air encourageant et ajouta :

— C'est seulement passager.

Sally hocha la tête, soulagée par l'explication et, en même temps, furieuse contre Adam. Pourquoi ne lui avait-il rien dit, au risque de la laisser croire qu'elle était gravement malade ? C'était particulièrement cruel. S'efforçait-il de la décourager, pour l'empêcher d'atteindre Purumaxi ?

Eh bien, il ne réussirait pas à se débarrasser d'elle ! Elle verrait l'ancienne cité inca, et rien ne pourrait l'arrêter. Toute son énergie et sa détermination lui revinrent d'un coup, et le café lui-même lui sembla savoureux.

La jeune femme saisit la première occasion pour prendre le reporter à part.

— D'après Juan, j'ai eu simplement un accès de *puna*, hier soir. Pourquoi ne m'avez-vous pas prévenue ? accusa-t-elle. J'aurais pu m'imaginer à l'article de la mort, obligée peut-être de renoncer à vous suivre...

Il redressa d'un doigt son chapeau à larges bords et

caressa machinalement sa barbe de plusieurs jours. Ses yeux sombres portaient toujours cette expression énigmatique, indéchiffrable, qui lui était si particulière...

— Maintenant, répliqua-t-il d'un ton mystérieux, vous savez que vous n'étiez pas en danger. Mais la prochaine fois ?

— Dans combien de temps serons-nous à Purumaxi ? reprit-elle, sans oser lui demander d'éclaircir sa pensée.

— Dans trois semaines.

— J'y arriverai, affirma-t-elle fièrement.

Il la considéra fixement, puis rétorqua, avec l'ombre d'un sourire :

— Je commence à vous croire.

5

Le lendemain, la petite troupe commença à redescendre le flanc de la montagne. Devant eux, à perte de vue, la forêt équatoriale s'étalait, véritable mer de verdure. Des oiseaux bigarrés, aux couleurs vives, commençaient à apparaître, perçant les oreilles des voyageurs de leurs étranges cris stridents.

Ils longèrent une nouvelle rivière, agitée de tourbillons d'écume, où des alligators et des piranhas rôdaient entre les rochers. Sally ne voulait pas y penser et ne détachait pas son regard de la route. Toute sa volonté était tendue vers un seul but : atteindre Purumaxi.

A la lisière de la jungle, ils s'entassèrent dans un petit bateau à moteur pour traverser un très large fleuve. Adam ne demandait plus à la jeune femme si elle souhaitait abandonner ; il semblait avoir admis l'idée qu'elle les suivrait jusqu'au bout.

Sur l'autre rive, un groupe d'Indiens était venu accueillir les voyageurs. C'étaient des hommes petits, trapus, à la peau mordorée, avec une lourde frange de cheveux noirs. Ils portaient des chapeaux ornés de plumes, des bracelets d'os et de métal et se promenaient presque nus.

Adam et Manuel les saluèrent en les appelant par leurs noms. Les Indiens sourirent, visiblement enchantés de les accompagner. Le reporter, songea la jeune femme, était, malgré tout, étonnant. Il passait sans apparente difficulté des studios de télévision les plus sophistiqués à une conversation amicale avec des indigènes de la jungle... De temps à autre, à présent, elle espérait qu'en atteignant leur destination, ils arriveraient à oublier leur différend, et se conduiraient comme deux journalistes normaux, deux collaborateurs travaillant ensemble. Etaient-ils vraiment obligés de rester ennemis ? Elle souhaitait au moins une sorte de trêve...

La jungle s'avéra aussi nerveusement éprouvante que prévu. Un nouveau danger surgissait à chaque pas : énormes moustiques, araignées gigantesques, anacondas lovés à quelques mètres, contre un tronc d'arbre... Sally s'étonnait elle-même. Elle ne se serait jamais crue capable de supporter des spectacles dignes du plus réaliste des films d'horreur. En fait, le pire moment, celui où elle avait pensé mourir de souffrance dans la montagne, était passé. Désormais, malgré les croassements, les cris et les rugissements de toutes sortes qui peuplaient la nuit, elle parvenait à trouver le sommeil sans trop de crainte. En fait, la jeune femme se rendait compte peu à peu combien sa santé bénéficiait de ce dur régime. Elle développait des muscles d'acier et une résistance à toute épreuve.

Enfin, un matin, Juan se pencha vers elle et murmura :

— Nous sommes presque arrivés !

La forêt s'éclaircissait, le fouillis des lianes se faisait moins dense. Les voyageurs s'engagèrent dans une allée couverte de gravier et, tout d'un coup, au détour d'un virage, Sally aperçut un mur. Un mur construit de la main de l'homme, des siècles et des siècles auparavant... Cette découverte lui procura un émerveillement immense, presque poignant. Mais elle allait au-devant de surprises plus éblouissantes encore.

Les cinq hommes s'étaient engouffrés sous une haute arche, flanquée de colonnes de pierre, et elle s'empressa de les suivre. Un peu plus loin, un nouveau mur et une porte de bois — visiblement moderne — les attendaient. Manuel y frappa avec vigueur en criant quelques mots d'espagnol.

Aussitôt, les battants s'ouvrirent, les voyageurs passèrent sous le porche... Et Sally vit enfin Purumaxi, dans toute sa splendeur. Une véritable route, formée de gigantesques pavés, conduisait à un petit groupe de préfabriqués — vraisemblablement les logements des archéologues — que le regard de la jeune femme négligea. Elle contemplait, extasiée, les étagements monumentaux s'étendant au-delà. Il y avait des bâtiments de toutes tailles, des escaliers encadrés de colonnades, des temples entourés de terrasses... La jungle s'étalait partout aux alentours, mais certaines plantes poussaient à profusion entre les pierres. La journaliste avait appris à les reconnaître. On trouvait d'incroyables lys blancs teintés de rose, des fleurs de la passion d'un rouge sombre, des orchidées mauves et pourpres. L'extraordinaire beauté de cette cité-jardin était à couper le souffle.

L'attention de la voyageuse fut attirée par des cris joyeux. Un petit groupe s'approchait en lançant de chaleureuses salutations à l'égard d'Adam Burgess. Parmi eux, elle remarqua une jeune femme assez grande, avec de longs cheveux bruns flottant sur ses épaules. Elle était vêtue d'une paire de jeans plutôt délavés et d'une blouse de coton rose décousue au coude et couverte de taches de peinture. Il devait s'agir de Sheila Rexham. Son mari, Abel, était un linguiste du *British Museum* et Sally se souvint avoir entendu dire que sa femme était peintre. Juan lui murmura les noms des nouveaux venus à l'oreille. Carl Wittenburg, l'archéologue américain, arborait une barbe grisonnante ; Lewis Kent portait lui aussi une barbe, mais du plus beau noir ; derrière lui, Juan indiqua avec une légère note de nervosité dans la voix un autre étudiant du docteur Perez, Ramon Oveto, un mince jeune homme brun. Au moment où il allait héler Sheila, celle-ci, qui venait de bavarder avec Adam, s'avança d'elle-même vers Sally et déclara avec gentillesse :

— Bienvenue à Purumaxi, Miss Doyle. Je suis Sheila Rexham. Venez ! Nous allons vous présenter...

Sally fut enfin mêlée au petit groupe, et Adam procéda assez formellement aux présentations. Il avait glissé son bras autour de ses épaules, et, à nouveau, la jeune femme craignit que les autres n'imaginent entre eux des relations extra-professionnelles. Cependant elle s'efforça de rester calme et sourit à la ronde. Heureusement, les habitants du camp semblaient tous enchantés de son arrivée.

— Une nouvelle présence est un excellent dérivatif, lorsque l'on vit depuis plusieurs mois en vase clos dans la jungle, affirma le Professeur Wittenburg. Vous êtes entièrement libre de vos allées et venues dans le site, ma chère. Visitez, prenez des notes...

— Personnellement, intervint Sheila, je suis soulagée d'avoir enfin la compagnie d'une personne de mon sexe. Adam, vous êtes adorable d'avoir amené votre assistante avec vous !

Sur ces derniers mots, elle éclata de rire ; le terme d'« adorable » paraissait en effet légèrement incongru pour décrire la forte personnalité du reporter. La journaliste eut un sourire légèrement contraint.

— Suivez-moi, reprit la charmante artiste. Je vais vous montrer votre chambre.

— Avec plaisir, répondit Sally.

Elle s'engagea dans le sentier, puis se rendit compte

qu'Adam marchait derrière elle et comprit que Mme Rexham avait parlé au pluriel. Une soudaine angoisse l'étreignit, et elle se hâta de rejoindre la femme du linguiste. Celle-ci avait déjà pénétré dans l'un des bungalows et se tenait debout dans une petite pièce, où deux lits de camps rudimentaires avaient été dressés.

— Voilà ! s'exclama-t-elle gaiement. Ce n'est pas très luxueux, naturellement...

Profondément embarrassée, l'ancienne employée de l'*Echo de Radchester* lança un coup d'œil à Adam. Il se caressait le menton d'un air narquois, lui laissant visiblement le soin des explications...

— Je... détrompez-vous, balbutia-t-elle avec raideur. Je suis uniquement la collaboratrice de M. Burgess, et...

— Et rien d'autre, compléta son compagnon avec une gravité sarcastique. Notre complexe et fascinante relation n'a pas encore dépassé certaines limites.

Sally aurait voulu pouvoir rentrer sous terre. Les paupières baissées, le visage écarlate, elle entendit Sheila répliquer en riant :

— Pardonnez-moi ! J'ai sauté trop vite aux conclusions... Alors ? Lequel de vous deux va s'installer ici ?

— Mais, mademoiselle, naturellement, rétorqua-t-il, en s'inclinant galamment.

— Merci, murmura l'intéressée.

Curieusement, elle se demandait à présent quelle avait pu être la vie des femmes incas. Dans les livres, on parlait seulement des hommes, des guerriers... Peut-être essaierait-elle de rédiger un article à ce sujet.

Les pas du reporter s'éloignèrent et l'artiste commenta, d'un air à la fois moqueur et pensif :

— Adam est un peu diabolique, n'est-ce pas ? Il savait fort bien que j'allais vous montrer cette pièce... Il aurait pu éclairer ma lanterne avant !

— Le connaissez-vous depuis longtemps ? demanda

son interlocutrice d'un ton neutre, embarrassée de rougir à nouveau.

— Depuis mon arrivée ici avec mon mari, il y a deux ans. Nous sommes devenus très bons amis et sommes même allés lui rendre visite en Angleterre, l'année passée.

Les deux femmes s'approchèrent de la fenêtre et contemplèrent les ruines grandioses de la cité.

— Comment les Incas ont-ils réussi à construire tout cela ? fit pensivement Sally. Ces blocs de pierre sont tellement énormes !

— En fait, c'est un mystère. Ils n'employaient ni poulies, ni grue, et ne se servaient même d'aucun outil de métal.

— Vraiment ? Mais alors...

— Qui sait ? plaisanta l'autre. Peut-être ces blocs tombaient-ils du ciel ! Ah, voilà Juan. Il apporte vos bagages.

Le jeune homme entra dans la pièce avec deux valises.

— Sur quel lit dois-je les poser ? s'enquit-il.

La journaliste réprima un soupir agacé.

— Sur l'un ou l'autre, indiqua-t-elle.

Il s'exécuta et disparut, après lui avoir lancé un regard légèrement surpris. L'assistante du reporter ouvrit aussitôt l'une des valises, pour en sortir un chemisier propre.

— Juan est probablement très satisfait de savoir que... vous êtes simplement la collaboratrice d'Adam, déclara Sheila. Il semble vous admirer profondément.

Son interlocutrice haussa les sourcils sans répondre. Certes, le jeune Colthec s'était toujours montré charmant avec elle, mais c'était aussi le cas des muletiers, des Indiens... Il n'était pas difficile de se montrer plus agréable que M. Burgess lui-même !

— A propos, il est marié, reprit l'artiste.

84

— Oui, j'ai remarqué son alliance.

— Cependant, je ne sais pas si son union est très heureuse.

— Vous-même semblez vous entendre à merveille avec votre mari, n'est-ce pas ?

La femme d'Abel fit entendre à nouveau son rire cristallin.

— Oui, absolument ! Nous sommes véritablement embarqués ensemble pour la vie...

Sally sourit un peu tristement. Elle aurait pu mettre l'autre en garde. Les amours apparemment les plus solides pouvaient parfois s'effriter... Elle songea à Tim et Megan. Serait-il jamais possible de parler d'eux à qui que ce soit ?

— Je vais vous apporter une chaise et une table, à la place du second lit, déclara Sheila. Cela vous permettra de travailler sans être dérangée.

— Merci infiniment.

Quelques instants plus tard, tout le monde se réunit pour prendre du thé et manger quelques fruits, en attendant le repas du soir. Ces fruits exotiques, servis en abondance étaient particulièrement savoureux : papayes, bananes, noix de coco, goyaves...

Quand elle fut rassasiée, Sally se laissa entraîner par Juan pour visiter Purumaxi. Elle aurait préféré être seule pour errer entre les temples, méditer sur la beauté de l'ensemble, mais il s'était littéralement imposé à elle.

— Ici, on trouvait le grenier à grains, indiqua-t-il. Là, des huttes d'habitation...

Du moins, songea-t-elle en réprimant un soupir, la présence de l'étudiant lui permettait d'apprendre la destination des bâtiments. Cela s'avérait fort utile pour acquérir une idée de l'ensemble. Purumaxi, en fait, se révélait extrêmement bien préservé.

L'une des constructions formait une pyramide flanquée de trois escaliers massifs. Au sommet, des piliers encadraient une sorte de pavillon, sur lequel était gravée une naïve représentation du soleil.

— A midi exactement, expliqua Juan, les rayons du soleil viennent frapper verticalement le pavillon. Il semble alors complètement doré, comme l'étaient les autels incas faits en or pur.

Ce temple était dédié à l'astre du jour, la plus grande des divinités incas. Du haut des marches, on voyait la cité tout entière.

Juan tendit le doigt vers un arbre gigantesque. Un groupe d'Indiens, dirigés par Kent, étaient occupés à le scier et il menaçait de s'abattre d'une minute à l'autre.

Sally et son compagnon descendirent les marches pour rejoindre l'archéologue.

— Nous abattons des bosquets entiers afin de dégager un palais, expliqua Lewis Kent. Pour l'instant, on en distingue juste le toit... Il existe de nombreux bâtiments ainsi disséminés dans la jungle et encore invisibles. Mais surtout, ne vous aventurez pas seule au-delà des limites ! Ce serait extrêmement dangereux.

Il se tourna vers Juan et s'enquit en souriant :

— Au fait, comment se porte Dolores, votre charmante épouse ?

— Euh... fort bien, répliqua l'autre, avec un geste vague de la main.

D'ordinaire, la journaliste répugnait à interroger les gens sur leur vie privée. Mais, en l'occurrence, l'étudiant de Manuel Perez serrait son bras avec une telle insistance que ce ne serait peut-être pas une mauvaise idée.

— Avez-vous des enfants ? demanda-t-elle gentiment, lorsque Lewis Kent se fut éloigné.

— Non.

— Pourquoi n'amenez-vous pas votre femme à Purumaxi ? Cela lui plairait peut-être beaucoup...

86

— Non! jeta-t-il simplement, avec une expression boudeuse et renfrognée.

Dolores, apprit par la suite la collaboratrice d'Adam Burgess, était une ravissante paysanne passionnément éprise de son futur archéologue d'époux, mais elle se refusait à quitter son village. L'Anglaise se sentait pleine de compassion pour elle.

Désireuse de se retrouver seule, elle remercia aimablement son guide et retourna en hâte à son bungalow.

Sheila avait déjà retiré le lit supplémentaire. Une petite table et un tabouret avaient été placés près de la fenêtre. Enchantée, Sally sortit ses notes de la valise et les empila soigneusement. Elle avait déjà commencé à rédiger le récit de ses aventures, lorsqu'on l'appela pour le dîner.

Un bungalow plus vaste que les autres servait de salle commune. Sur une grande table, on avait allumé des bougies et la pièce elle-même avait un air de fête en l'honneur des nouveaux arrivants. Le repas, malgré les simples moyens du bord, fut délicieux; un vin léger, excellent, accompagnait un savoureux poulet au citron.

La journaliste était assise à côté d'Adam, mais c'était visiblement lui l'invité de marque. On lui racontait les dernières découvertes, les anecdotes du campement, les problèmes... Lui-même narrait avec humour les préparatifs de son voyage — à l'exclusion, naturellement, de sa rencontre avec son assistante. Cependant, il avait énormément d'esprit et la jeune femme se surprit à rire aux éclats plusieurs fois, tout comme les autres convives. Le reporter était parfaitement à l'aise. Il se trouvait partout dans son élément, songea-t-elle à nouveau, aussi bien dans la jungle, qu'au milieu des archéologues, ou en plein New York... Adam Burgess profitait pleinement de la vie. Sally laissa échapper un très léger soupir. Par malheur, c'était précisément à l'instant où la conversation languissait, et tous les regards convergèrent sur elle. Un silence étonné s'ensuivit, puis Carl Wittenburg lui demanda à quoi elle comptait s'occuper durant son séjour.

— Je dois envoyer plusieurs articles à *L'Echo de Radchester,* mon ancien journal, expliqua-t-elle.

Des murmures faussement élogieux accueillirent la nouvelle. Aucun d'entre eux, c'était certain, n'avait jamais entendu parler de cette petite feuille locale.

— J'aimerais aussi écrire un roman, poursuivit-elle.

— Ma collaboratrice est dotée d'une imagination très vive, intervint Adam d'un ton ambigu.

Pour la première fois, il se tourna vers elle. Il s'était rasé dans l'après-midi et son visage avait retrouvé sa séduisante beauté.

— Je n'ai jamais écrit de roman jusqu'à présent, répliqua sa compagne, en le fixant droit dans les yeux, et j'ignore si mon imagination dépasse particulièrement la normale. J'étais une journaliste de reportage, et mon travail consistait surtout à interroger les gens, en m'en tenant à la réalité... D'ailleurs, on fait parfois de très intéressantes découvertes au cours des interviews. Tout n'est pas publiable, naturellement !

Après une courte pause, elle reprit avec gaieté :

— C'est ainsi que j'ai fait la connaissance de M. Burgess... en vue d'un article.

Sans détacher son regard du sien, l'intéressé saisit la main de la jeune femme et y déposa un baiser furtif.

— En ce qui concerne notre première entrevue, vos lèvres resteront scellées, bien entendu, déclara-t-il.

La phrase résonnait comme une plaisanterie. Les autres le prirent ainsi et toute la tablée éclata d'un nouveau rire. Sally souriait d'un air contraint ; il lui avait serré les doigts jusqu'à lui faire mal et elle pouvait à peine soulever sa fourchette. Cet apparent geste de tendresse était un avertissement.

A la fin du repas, Sheila se leva et annonça :

— Ecoutons un peu de musique.

Tout le monde s'installa à l'extérieur, sur les marches d'un petit amphithéâtre. La nuit équatoriale s'étendait autour d'eux, d'un bleu sombre semé de milliers d'étoiles. Ramon avait amené sa guitare. Il en pinça les cordes, et se mit à chanter d'une voix de ténor particulièrement mélodieuse.

Certains chants étaient en espagnol, d'autres en anglais, mais, au bout d'un moment, tous les assistants joignirent leur voix à celle du chanteur. Les cris des oiseaux de la jungle, à l'arrière-plan, formaient un curieux contrepoint, cependant l'ensemble était assez émouvant.

Tim aussi jouait de la guitare. Souvent, il organisait un petit récital, uniquement pour sa fiancée. Les yeux embués de larmes, celle-ci se sentit submergée par les souvenirs. Tim ne lui reviendrait jamais... Il était très loin d'elle, à une distance plus infranchissable encore que celle de l'océan qui les séparait. La jeune femme avait atteint Purumaxi, comme elle le désirait, mais souffrait d'une atroce solitude.

Le guitariste s'arrêta et les applaudissements éclatèrent ; Sally se força à sourire. Il était fort tard, et, peu à peu, chacun regagna son lit.

L'Anglaise rejoignit sa chambre, le cœur lourd. La fatigue la terrassait ; elle aurait dû se coucher et dormir sans attendre. Mais elle s'était plantée devant la fenêtre et n'arrivait pas à détacher ses yeux du paysage. La lune baignait la cité d'une lueur d'opale, presque argentée. Le spectacle, des siècles auparavant, devait déjà être le même... Quels Incas avaient pu le contempler ainsi, nuit après nuit ? Qui étaient-ils réellement ?

Nerveuse, tendue, la jeune femme décida de marcher un peu, avant de chercher le sommeil. Tous les bungalows étaient éteints, sauf celui des Rexham. Leur lampe à huile jetait une faible lumière dans l'obscurité environnante.

Saisie par un délicieux frisson, Sally s'engagea dans une allée empierrée. Qui sait si les fantômes d'un lointain passé n'allaient pas s'éveiller et venir à sa rencontre ? Elle se demanda si elle courait le moindre danger. Probablement pas ; la muraille entourant la cité avait été complètement restaurée, et les animaux ne pouvaient pas s'aventurer dans le camp. Sauf, peut-être, les serpents...

Une atmosphère sereine, presque magique, régnait sur Purumaxi. La journaliste était heureuse de se promener seule et, lorsqu'elle reconnut la silhouette d'Adam Burgess un peu plus loin, elle espéra qu'il ne viendrait pas la déranger.

Ses espoirs furent déçus. Il s'approcha à grandes enjambées et lança :

— Que faites-vous donc par ici, Sally ? Où allez-vous ?

— Nulle part en particulier. J'erre au hasard.

— Pourquoi ?

— Je n'ai jamais vu aucun endroit comparable, expliqua-t-elle. Je suis incapable de trouver le sommeil.

— Moi non plus, avoua-t-il, en réglant son pas sur le sien. Le site a beaucoup changé depuis ma dernière visite. Ils ont exhumé de nombreux vestiges, et la jungle a considérablement reculé.

— Je... je suis très impressionnée par Purumaxi, confia rêveusement la jeune femme. La cité dépasse tout ce que j'attendais...

— Cela ne m'étonne pas.

Ils descendaient une rue déserte et leurs pas résonnaient étrangement dans la nuit. Un peu plus loin, des grues et des bulldozers se dressaient contre le ciel. Les Incas n'avaient eu aucun de ces engins sophistiqués, et cependant ils avaient construit des temples extraordinaires... Une idée soudaine traversa l'esprit de la journaliste.

— Comment avez-vous réussi à acheminer tout le matériel jusqu'ici ? interrogea-t-elle.

— Par hélicoptère.

— Dans ce cas... Pourquoi m'avoir fait traverser les montagnes et la jungle à pied ? N'aurais-je pas pu utiliser le même moyen de transport ? Vouliez-vous me... me mettre à l'épreuve ?

— Pas le moins du monde, assura-t-il brièvement. Je tenais à suivre un certain chemin, mais cette décision n'avait rien à voir avec vous.

— J'avais imaginé une sorte de vengeance, de châtiment de votre part...

Adam ne répliqua pas. Son profil racé se détachait nettement dans l'obscurité. D'une voix légèrement tremblante, Sally poursuivit :

— Soyez franc. Vous n'aviez pas très envie que je vous accompagne... Lorsque j'ai souffert d'une attaque de *puna*, vous m'avez laissée dans l'ignorance. Or, à ce moment-là, j'étais prête à abandonner.

Il soupira imperceptiblement et tourna enfin les yeux vers elle.

— Vous êtes heureuse d'avoir réussi, n'est-ce pas ? Et soulagée de ne pas être rentrée en Angleterre...

— Oui, dit-elle simplement, j'en suis heureuse. Et c'est à vous que je le dois. Mais j'aimerais vous demander aussi...

Elle rougit avant de préciser :

— Ce sera ma dernière question. Après cela, je ne vous ennuierai plus.

L'ombre d'un sourire joua sur les lèvres de l'homme.

— Poursuivez, je vous écoute.

— Y a-t-il la moindre chance, questionna-t-elle, que vous puissiez oublier un jour dans quelles circonstances nous nous sommes rencontrés ? Je fais mon travail le plus consciencieusement possible et m'efforce de vous donner toute satisfaction.

Le sourire du reporter avait disparu, et sa voix se durcit.

— Ne mêlez pas les deux choses... Votre assistance me convient, effectivement. Mais quant à effacer votre menace de chantage, en d'autres termes votre promesse tacite de ne pas prévenir le mari de Vanessa, ce serait trop exiger.

La jeune femme avait simplement, de façon maladroite, imploré son pardon. Cependant, elle ne protesta pas. Il serait probablement difficile d'expliquer à Adam le rôle joué par Tim et Megan dans cette affaire, et son propre désarroi... De toute façon, il était trop tôt. Plus tard, peut-être, elle réussirait à le convaincre qu'elle n'avait jamais eu la moindre intention de le faire chanter. Sinon, le malentendu subsisterait éternellement... En outre, elle ne devait pas oublier la conduite de cet homme avec Vanessa Westmorland. N'était-ce pas encore plus condamnable que sa propre réaction ? Cela seul mettait un obstacle à toute possibilité de converser à cœur ouvert.

Ils revinrent sur leurs pas sans parler. Le temple du soleil dressait sa masse imposante sur leur droite, et le reporter proposa :

— Grimpons au sommet... La nuit, le panorama sur la cité est particulièrement splendide.

Elle hésita un moment, puis le suivit dans son escalade. Les bras croisés, son compagnon s'appuya contre un pilier et laissa errer son regard sur le chantier.

— Voyez-vous cette clairière ? indiqua-t-il. En ce moment, ils sont en train d'y abattre des arbres.

— Oui, Lewis Kent était au travail, cet après-midi.

— Dès demain, je vais commencer à les aider... C'est pour cela que je suis venu.

— Vraiment ? Je vous croyais ici pour rédiger une série d'articles et préparer des reportages télévisés...

— Exceptionnellement, cette fois, j'écrirai très peu. Je prends des vacances, en quelque sorte.

— Des vacances ? répéta-t-elle, d'un ton incrédule. A manier la machette et la tronçonneuse ?

Il éclata de rire.

— J'ai les muscles plus solides qu'il n'y paraît, ma chère.

— Je vous crois volontiers ! ironisa-t-elle, se souvenant de la petite scène du dîner, quand il lui avait presque écrasé les doigts.

Il ne releva pas l'allusion, mais laissa tomber négligemment :

— Vous aussi, vous êtes plus solide que je ne l'aurais supposé.

S'attendait-il, par hasard, à la voir, à son tour, abattre les arbres à coups de hache ? Sa remarque suivante prouva le contraire :

— Vous avez mentionné l'idée de vous lancer dans un roman... Cela me paraît une excellente initiative. Quel en serait le sujet ?

— Probablement les Incas eux-mêmes. A force de vivre dans leur cité, au milieu de leur forêt, avec des gens connaissant leur histoire sur le bout des doigts, je dois pouvoir réunir suffisamment d'informations...

— Leur compagnie ne vous plaira peut-être pas, vous savez. C'étaient des hommes cruels, sans pitié, sanguinaires... Avec la couleur de vos cheveux, un peu argentés par la lune, ils vous auraient appelée *Coya-Pasca*.

— Le nom est joli.

— Mais la réalité, beaucoup moins ! Il s'agit de la jeune femme sacrifiée tous les ans au dieu du soleil, sa « fiancée » en quelque sorte. Vous vous retrouveriez la gorge sous le couteau du prêtre, sans avoir le temps de dire un mot.

Sally frissonna légèrement. Elle se rappelait son cauchemar, où Adam avait pris le dur visage d'un Inca couronné d'or...

Machinalement, elle recula, troublée par le regard sombre et ironique qui la fixait. Elle voulait redescendre l'escalier, retrouver la sécurité de son lit... Mais elle manqua la première marche, trébucha et faillit perdre l'équilibre. Elle se voyait déjà dégringoler, la tête la première... Un cri de terreur lui échappa.

Adam se précipita, la rattrapa au vol, et elle s'agrippa à sa chemise, dans un état de panique aveugle. Sa cheville était égratignée mais, heureusement, l'homme l'avait saisie avant que son crâne ne heurtât durement la pierre. Haletante, Sally ferma un instant les yeux, tandis que le reporter la serrait étroitement et penchait sur elle un visage inquiet.

— Tout... tout va bien, balbutia-t-elle. Plus de peur que de mal...

Il hocha imperceptiblement la tête, puis, comme mû par une impulsion irrésistible, posa légèrement ses lèvres sur les siennes. Il s'écarta aussitôt, et la jeune femme crut, un instant, avoir simplement rêvé.

Son compagnon relâcha son étreinte et déclara, avec toute son ironie retrouvée :

— Mieux vaut descendre les marches une par une... Vous sentez-vous capable de marcher jusqu'à votre bungalow ?

— Oui, merci, assura-t-elle, en massant sa cheville. Je... Bonsoir.

— Soyez prudente.

Elle reprit lentement son chemin, le cœur battant à tout rompre. Elle avait eu terriblement peur. Une chute pareille aurait fort bien pu s'avérer mortelle...

Un peu plus tard, allongée sous sa moustiquaire, la

94

journaliste avait l'impression de sentir encore la présence rassurante d'Adam contre elle. Avait-elle imaginé ce baiser ? Etait-il bien réel ? Dans ce cas, que signifiait-il ? Probablement une simple réaction, pour la rassurer, la calmer... Curieusement, tout en désapprouvant encore la liaison de son employeur avec Vanessa Westmorland, Sally n'arrivait plus à le haïr autant qu'au début. Souvent, elle l'admirait, tant sa force, son intelligence et son assurance étaient grandes ; parfois même, elle le trouvait sympathique. Et lorsqu'elle se retrouvait par hasard dans ses bras, comme cette fois, sa défensive faisait place à un trouble étrange et déconcertant...

Se retournant nerveusement dans son lit, l'ancienne fiancée de Tim s'efforça de se ressaisir. L'atmosphère romantique de Purumaxi, décidément, finissait par lui monter à la tête. Adam Burgess était sans aucun doute le dernier homme du monde dont il fallait s'amouracher...

En s'éveillant le lendemain matin, elle se demanda, comme cela lui arrivait fréquemment, où elle se trouvait. Qui avait placé cette moustiquaire au-dessus de sa tête ? Puis elle se souvint. Dans une ou deux semaines, probablement serait-elle habituée...

Le souvenir de la nuit lui revint et la jeune femme esquissa une légère grimace. Désormais, sa ligne de conduite personnelle serait d'éviter le reporter le plus possible. Elle n'aimait pas du tout, mais vraiment pas du tout, le trouble dans lequel la simple présence de cet homme la jetait.

Elle se leva, revêtit son ample peignoir en éponge et se dirigea vers la petite tente transformée en salle de bains, qu'elle partageait avec Sheila. Un joyeux sifflement lui fit tourner la tête : c'était Abel. Sally lui adressa un grand sourire en agitant la main.

— Votre femme est-elle levée ? s'enquit-elle.

Il montra la tasse qu'il portait.

— Elle attend son café, expliqua-t-il gaiement. Il lui est impossible d'affronter la journée avant de l'avoir bu !

L'Anglaise fit sa toilette, revint dans sa chambre et se couvrit méthodiquement le visage de crème protectrice contre les insectes. Ensuite, elle avala son comprimé de quinine quotidien, se maquilla soigneusement les yeux — elle en avait gardé l'habitude depuis le début pour conserver bon moral — et, vêtue d'un jean de velours confortable et d'un pull assorti, sortit prendre son petit déjeuner.

Abel Rexham s'était montré injuste avec son épouse. Elle était déjà debout, occupée à organiser les repas de la journée avec les deux aide-cuisiniers embauchés parmi les Indiens de la région.

— Puis-je vous être utile ? proposa Sally.

— Merci, ma chère, fit la pétulante jeune femme, mais ne vous donnez pas cette peine. Ma seule contribution à la vie de ce camp est la préparation de la nourriture, et je tiens à m'en acquitter. Après tout, je passe la majeure partie de la journée avec mes brosses, mes pinceaux et mon chevalet !

L'autre sourit et s'installa devant un jus d'orange et une assiette d'œufs brouillés. Adam se montra un peu plus tard, la salua d'un bref signe de tête et lança :

— Lorsque vous aurez terminé, vous me suivrez.

— Où cela ?

Il ne répondit pas et avala d'un trait son café. La dernière bouchée avalée, son assistante se leva et tous deux sortirent. Sheila, de l'autre bout de la pièce, avait adressé à la journaliste un clin d'œil complice. Probablement trouvait-elle, elle aussi, Adam bien cavalier avec sa collaboratrice…

Ils traversèrent le campement et entrèrent dans le bungalow servant de bureau à Carl Wittenburg. D'immenses plans de la cité étaient accrochés au mur, avec des indications au crayon rouge sur les emplacements des découvertes. Sur le bureau, dossiers, photographies et croquis s'entassaient en énormes piles. Les nouveaux venus écoutèrent avec attention les explications de l'archéologue, puis passèrent dans une autre pièce, où Abel Rexham était occupé à étudier des poteries couvertes de mystérieuses inscriptions. Là aussi, ils restèrent une demi-heure à l'observer avec intérêt. Ensuite, Adam guida sa compagne vers un champ de fouilles, où Juan dirigeait un petit groupe d'hommes. Ils venaient de découvrir une série d'équipements guerriers et se montraient enchantés. Pour conclure la promenade, le reporter conduisit Sally dans un dernier bungalow où le jeune Ramon Ovato examinait les dernières trouvailles. Celui-ci les accueillit avec plaisir, puis suggéra :

— Avez-vous besoin de votre assistante pour le moment, M. Burgess ? Sinon, j'apprécierais énormément un coup de main, en ce moment...

— Je vous la laisse, rétorqua brièvement l'intéressé. Aucun problème.

La jeune femme tressaillit. L'avait-il donc menée ainsi autour du camp, simplement pour trouver un endroit où se débarrasser d'elle, afin qu'elle ne l'importune plus de sa présence ? Adam s'éloigna sans lui permettre de protester, et elle réprima un soupir en se tournant vers Ramon.

— Je vous remercie de m'offrir une occupation, M. Ovato.

L'anglais du jeune étudiant était parfait, bien meilleur que celui de Juan.

— Soyez la bienvenue, répliqua-t-il en souriant. Je vous suis très reconnaissant d'avoir accepté. Je pensais n'avoir aucune chance de vous obtenir.

Vous « obtenir » ? La journaliste sursauta. Même si le terme indiquait simplement une maladresse de lan-

97

gage, il ne lui plaisait pas beaucoup. Elle n'était pas un animal mis à prix à un concours, tout de même ! Cependant, son sens de l'humour l'emporta sur la contrariété et elle déclara :

— Espérons que votre chance continuera... Je ne voudrais pas abîmer malencontreusement une de vos trouvailles.

Sally passa toute la journée à nettoyer, brosser et laver avec soin les minuscules fragments de poterie ensuite triés par son compagnon. Il reconstituait les pots, en les recollant avec une indéniable habileté. Ses mains, d'ailleurs, étaient longues et fines, parfaitement adaptées à ce travail minutieux.

La conversation roula sur divers sujets. Les passions du futur archéologue, avoua-t-il, étaient les voitures de course et la musique. Les premières, commenta Sally en souriant, étaient fort rares à Purumaxi, mais elle avait apprécié son récital de guitare de la veille, et l'en complimenta vivement.

Il tourna vers elle ses yeux d'un noir de jais et murmura avec un imperceptible sourire :

— Je jouerai pour vous... aussi souvent que vous en exprimerez le désir.

— J'en serais enchantée.

Au contraire de Juan, Ramon n'était pas marié, et peut-être réussirait-elle à développer avec lui une amitié — rien d'autre, naturellement — qui ne blesserait personne.

Sally avait besoin d'amis. Elle n'avait jamais autant souffert de sa solitude. Tous les membres du camp étaient charmants et sympathiques, mais bien trop absorbés par leurs tâches respectives pour avoir le temps de lier connaissance avec elle de façon approfondie. La jeune femme était donc enchantée d'avoir une longue conversation avec Ramon. Il lui raconta ensuite l'histoire de sa vie et celle de sa famille. Sa mère était américaine, son père un riche industriel brésilien. Il avait quitté l'université pour venir directement à Purumaxi et son travail le passionnait et l'enthousiasmait. Ils échangèrent avec plaisir leurs impressions sur l'ancienne cité inca.

Au milieu de l'après-midi, Sheila se montra avec ses cartons à dessins et ses crayons et demanda à faire le portrait de la journaliste.

— Mon portrait ? s'étonna l'intéressée, en s'arrêtant un instant de brosser un large fragment de poterie rougeâtre.

— Mais oui ! insista gentiment l'autre. J'ai déjà dessiné dix fois tous les membres de l'équipe. N'est-ce pas, Ramon ? Et j'ai au moins une centaine de points de vue différents de Purumaxi, au crayon, à l'aquarelle et à la gouache !

— Je... je ne suis pas très photogénique, murmura Sally.

— Mais le dessin n'a rien à voir avec la photo... De toute façon, ne dites pas de bêtises. Vous êtes ravissante.

— Pourquoi ne prenez-vous pas plutôt Adam comme modèle ?

— Parce qu'actuellement, il se trouve dans la jungle... Il est impossible de le déranger. En outre, je possède déjà plusieurs croquis de lui. Aimeriez-vous en avoir un ?

— Non, ce n'est pas ce que je voulais dire, protesta en hâte son interlocutrice. Simplement, l'idée me semblait meilleure.

Sheila ne commenta pas la beauté classique, effectivement très séduisante pour un peintre, du reporter. Elle se borna à souligner :

— N'avez-vous pas un fiancé, ou un ami en Angleterre, à qui vous aimeriez rapporter votre portrait ?

La journaliste rougit violemment.

— Euh... mis à part mon oncle et ma tante, non, personne.

— Permettez-moi tout de même de vous croquer, insista l'autre en riant.

Et, sans plus attendre, elle se mit au travail.

Après le dîner, Ramon invita sa collaboratrice de la journée pour une promenade. Ils traversèrent le potager et s'assirent sur des rochers. Le jeune homme avait apporté sa guitare et il commença à chanter.

La musique était encore plus émouvante que la veille. La voix chaude du brésilien restituait à merveille la douce nostalgie des chansons d'amour sud-américaines. Sa compagne se sentait étrangement bouleversée et refoulait péniblement les sanglots qui lui serraient la gorge. Le chanteur semblait prêt à continuer ainsi pendant des heures, et elle craignait de fondre stupidement en larmes, comme une enfant trop sensible...

Soudain, elle entendit des pas s'approcher : c'était Juan.

— J'aimerais me joindre à vous. Cela ne vous ennuie pas ? demanda-t-il.

Ramon lui jeta un regard noir, mais Sally se félicita de sa présence. La situation serait ainsi moins délicate. Tous trois reprirent leur promenade, chacun des deux jeunes hommes s'efforçant de monopoliser l'attention de la journaliste avec une obstination touchante et presque comique. Au bout d'un moment, elle préféra les abandonner, et s'éclipsa en s'excusant, prétextant une grande lassitude.

Les jours suivants, elle continua à travailler avec Ramon Ovato et à se promener avec les deux étudiants, tout en s'amusant des efforts qu'ils faisaient pour la courtiser. Cela ne l'ennuyait pas outre mesure, car ce n'était pas très sérieux, et Sally avait l'habitude de garder ses distances. En un sens, c'était une sorte de jeu

100

amusant qui lui rappelait sa vie de collégienne, avant Tim...

Un après-midi, la jeune femme accepta de venir poser pour Sheila en pleine nature. Ramon s'était montré fort contrarié d'être ainsi délaissé.

— Pauvre garçon ! plaisanta l'épouse d'Abel Rexham. Enfin, « pauvre » est une façon de parler... Son père roule littéralement sur l'or, et a toujours passé tous ses caprices à son fils. Chevaux, voitures de course... Après tout, Ramon serait un bon parti, n'est-ce pas ?

Sa compagne éclata de rire.

— Je suis peu sensible aux attraits de la fortune... Et il est trop jeune pour moi.

L'artiste haussa les sourcils.

— Trop jeune ?

— Pas en nombre d'années, naturellement. Mais en maturité... Juan et lui ont tendance à se conduire comme des adolescents.

Sheila hocha pensivement la tête et reprit son dessin. Au bout de quelques minutes, elle déclara brusquement :

— Je connais quelqu'un pour qui ce n'est pas le cas... Adam.

Rougissant imperceptiblement, Sally rétorqua d'un ton détaché :

— Eh bien, il me faudrait l'intermédiaire... Juan est trop léger, mais M. Burgess est bien trop profond.

— Vous désirez un compromis entre l'oiseau et le tigre, en somme.

Les deux jeunes femmes rirent gaiement, et le peintre ébaucha, dans un coin de sa feuille, un oiseau aux ailes déployées et un tigre menaçant.

Tout en posant, immobile, la journaliste laissa son regard errer vers la clairière, où Adam et Lewis Kent étaient occupés à débroussailler. Le travail avançait lentement, car il nécessitait d'infinies précautions. Il ne fallait pas risquer d'abîmer la moindre parcelle des bâtiments et des objets mis à jour.

La nièce d'Emma, à présent, connaissait Purumaxi comme sa poche. Toute sa vie, elle se souviendrait de cet endroit mystérieux, extraordinaire, de ces temples perdus dans la verdure intense de la jungle... Le seul endroit qu'elle n'avait pas encore exploré était cette clairière ; l'archéologue qui en avait la charge ne permettait à personne d'en approcher pour le moment. C'était beaucoup trop dangereux.

La jeune femme ne voyait guère son employeur qu'aux repas. S'il rédigeait quoi que ce soit, il ne lui avait pas encore demandé de venir prendre des notes sous sa dictée.

Un matin, cependant, elle le rencontra sur le chemin menant aux travaux. La chaleur était déjà étouffante, et il essuyait d'une main lasse la sueur ruisselant sur son front.

— Vos admirateurs ne vous reconnaîtraient pas, dans cette tenue de bûcheron, plaisanta-t-elle.

Il la considéra des pieds à la tête.

— Vous non plus, ma chère !

C'était idiot ; elle n'avait aucun admirateur, ne s'était jamais montrée à la télévision, sauf...

— Pourrais-je visiter vos dernières trouvailles ? demanda-t-elle, sans s'attarder sur ses pensées.

Adam haussa les épaules avec lassitude.

— Non, ne restez donc pas dans nos jambes, jeta-t-il, en lui tournant le dos.

Outrée, Sally s'éloigna rapidement. La considérait-il donc comme une enfant désagréable, comme un fardeau ? Pour un peu, il lui aurait ordonné de retourner à ses poupées... Elle n'était pourtant plus une petite fille, et il ferait mieux de s'en apercevoir.

6

Vers la fin de sa quatrième semaine à Purumaxi, Sally travaillait avec l'équipe de déblayage de Juan. Accroupie dans une tranchée, elle passait au tamis des poignées de sable pour recueillir les fragments de métal et d'ossements dissimulés dans la terre. Sans y prêter attention, elle avait entendu la voix de Ramon Ovato appeler Juan, puis s'était concentrée sur sa tâche, tandis qu'ils bavardaient un peu plus loin.

Après quelques minutes, Adam s'approcha d'elle et lui posa vivement la main sur l'épaule. D'un doigt terreux, elle repoussa une mèche de cheveux et leva la tête vers lui.

— Venez à l'écart, jeta-t-il brusquement. J'ai à vous parler.

Elle le suivit au bout de l'allée, interloquée.

— Racontez-moi tout, fit-il avec colère. Qu'êtes-vous en train de manigancer ?

— Manigancer ? Je ne vois pas...

— Ne jouez pas les innocentes, grinça-t-il. A qui avez-vous accordé vos faveurs ? à Juan, ou à Ramon ?

D'abord sidérée, puis folle de rage, la jeune femme recula d'un pas. Il se permettait de l'insulter ouvertement, et elle n'arrivait pas à en croire ses oreilles.

— Ni à l'un, ni à l'autre, rétorqua-t-elle, d'une voix

glaciale. Qui a pu vous faire songer à une telle mons-truosité ?

L'homme se passa la main sur le visage, l'air hagard.

— Je les ai entendu discuter, expliqua-t-il enfin. Le jeune Ovato accusait Juan de négliger sa femme pour vous, et ce dernier lui répliquait qu'il essayait de vous séduire avec sa fortune.

— Oh ! Je vois, siffla-t-elle, furieuse non seulement contre Adam mais aussi contre les deux autres jeunes prétentieux. Merci tout de même pour votre sollicitude !

— Je songeais seulement à vous mettre en garde, répliqua-t-il d'un ton rauque, une curieuse nuance d'excuse dans la voix. Efforcez-vous de les fréquenter le moins possible.

Il tourna les talons, et Sally, encore écarlate de surprise et de fureur, en fit autant. Il était hors de question de retourner à la tranchée. Elle partit à la recherche de Sheila, la seule oreille compatissante et amicale à laquelle elle pourrait se confier.

Cette dernière était en train de peindre dans le petit bungalow lui servant d'atelier. Grimpant rapidement les marches, la journaliste la héla :

— Puis-je vous parler un instant, Sheila ?

— Certainement, entrez. Je viens justement de com-mencer à peindre votre portrait. Comment préférez-vous votre nez ?

— Mon Dieu, à sa place, je suppose, soupira machi-nalement l'intéressée. J'avoue ne pas y avoir réfléchi.

L'artiste étala devant elle une série de croquis et marmonna :

— De trois quarts, c'est encore la meilleure solu-tion... Asseyez-vous sur cette chaise. Vous pouvez poser par terre les toiles qui l'encombrent.

— Sheila, en fait je... je suis venue vous demander conseil. Adam m'a accusée de... de m'être laissé séduire par Juan ou Ramon. Il a surpris une de leurs conversations…

Son interlocutrice écarquilla les yeux, l'air complètement interloquée.

— Que devrais-je faire? murmura Sally, en se tordant les mains. Ils n'arrêtent pas de me poursuivre de leurs assiduités. Sans espoir, naturellement, mais tout ceci devient ridicule et même gênant.

L'épouse d'Abel esquissa une grimace.

— Mm… Juan et Ramon ne se sont jamais très bien entendus. Mais, jusqu'à présent, ils préféraient s'éviter… Comment Adam a-t-il réagi?

— Il m'a simplement suggéré de me tenir à l'écart.

— Il leur dira leurs quatre vérités tôt ou tard, croyez-moi. C'est d'ailleurs aussi bien…

— Quant à moi, je ferais mieux de suivre son conseil, je suppose. J'ai dû me montrer trop amicale avec eux.

— Il est bien dommage que vous n'ayez aucun homme dans votre vie, mis à part votre oncle! Si vous aviez un mari ou un fiancé, ces deux jeunes Casanova vous auraient témoigné plus de respect.

Sally tendit la main, les larmes aux yeux.

— Voyez-vous cette marque, sur mon doigt? Il y a quelques mois, je… j'étais fiancée.

— Oh! Etait-ce avant votre rencontre avec Adam?

— Oui… Puis, il y a deux mois, mon futur mari m'a quittée pour une autre. J'ai beaucoup souffert, et je suis devenue extrêmement méfiante.

Mme Rexham, le pinceau en l'air, lui sourit gentiment.

— Quelle histoire affreuse! Je suis sincèrement désolée…

La journaliste secoua la tête, essuya ses joues et se força à répondre au sourire de l'autre.

— En fait, j'ai eu de la chance dans mon malheur… Si M. Burgess ne m'avait pas embauchée, j'aurais été obligée de rester là-bas, d'assister au mariage de Tim et Megan, et...

Elle haussa les épaules avec lassitude.

— Mais n'en parlons plus. A présent, je dois résoudre le problème présenté par Juan et Ramon.

— Si jamais vous avez besoin d'un chaperon, je suis là.

— Merci, assura la journaliste en riant. Cela peut s'avérer utile.

Et toutes deux savaient qu'elles plaisantaient seulement à moitié.

A l'heure du dîner, tout le monde se retrouva dans la vaste salle ; cependant Adam disposa deux assiettes sur une petite table à l'écart et invita Sally à le rejoindre. Ce dispositif avait tout du tête-à-tête et, lorsque Juan s'approcha d'eux en demandant « Où étiez-vous donc passée cet après-midi, Sally ? Je vous ai cherchée... » le reporter répliqua, d'un ton courtois mais ferme :

— Miss Doyle travaillait pour moi.

Juan parut nettement déconcerté. Néanmoins, sans se laisser démonter, il poursuivit :

— Puis-je me joindre à vous ?

— Non, jeta brusquement son interlocuteur, sans plus d'explication.

L'autre hésita un instant, et finit par s'éloigner, avec un sourire contraint.

Adam le suivit des yeux un instant, puis se tourna vers sa compagne.

— Sheila a commencé à peindre votre portrait, n'est-ce pas ? Abel m'en a parlé.

— C'est exact. J'ai posé pour elle, cet après-midi.

— Voilà du moins une activité louable...

Il recommençait à l'accuser sans fondement et à la considérer comme une gamine !

— Je vous serais reconnaissante, articula-t-elle avec raideur, de cesser de me traiter en délinquante juvénile.

106

L'homme sourit largement, les yeux pétillants d'humour.

— N'en êtes-vous donc pas une ? N'avez-vous pas eu ce que l'on appelle une adolescence difficile ?

Légèrement radoucie par son attitude taquine, elle répliqua du tac au tac :

— Moi, non... mais vous, peut-être. J'imagine qu'à quinze ans, vous deviez être un véritable garnement...

Adam éclata de rire et elle ne put s'empêcher de l'imiter. Puis, tout en se laissant servir un verre de vin, la jeune femme reprit :

— Parlez-moi de la clairière... Avez-vous fait d'intéressantes découvertes ?

— Oui. Nous exhumons en ce moment un petit bâtiment splendide, dont les piliers sont ornés de serpents sculptés...

Il se plongea dans les détails et son auditrice l'écouta avec une attention passionnée. Elle devait absolument voir cela avant de quitter Purumaxi.

Ramon se montra à son tour, alors qu'ils étaient en train de prendre le café.

— Bonsoir ! lança-t-il avec une élégance badine. Me ferez-vous l'honneur d'une promenade, Sally ?

Une fois encore, Burgess répondit à la place de la journaliste.

— Ce soir, Miss Doyle se promène avec moi, monsieur Ovato.

Sans insister, l'étudiant disparut. La jeune femme garda la tête baissée, craignant de montrer son amusement devant sa mine probablement fort déconfite.

Son employeur se leva et elle le suivit. La nuit, à l'extérieur, n'était pas encore complètement tombée : une traînée pourpre, bordée de rose, teintait la cime déjà sombre des arbres immenses.

Adam avait glissé son bras sous celui de l'Anglaise et

ils marchaient à pas lents, admirant le spectacle du crépuscule.

— La vie nocturne de Purumaxi n'est pas bien passionnante, j'en ai peur, énonça-t-il pensivement. Comment se déroulent vos soirées avec vos « prétendants », d'ordinaire ?

— Nous nous asseyons sur un rocher, puis nous parlons des Incas, expliqua-t-elle avec patience. Ensuite, je rentre dans ma chambre et je prends des notes.

— Il s'agit d'un cours du soir, en quelque sorte.

— Si vous voulez, concéda-t-elle raidement. Parfois aussi, Ramon apporte sa guitare et chante des chansons... en général, la musique attire Juan. Il s'approche et demande d'un ton pincé : « Puis-je me joindre à vous ? »

Elle avait fort bien imité l'étudiant, et son interlocuteur éclata de rire.

— Lequel préférez-vous ? demanda-t-il, après avoir repris son sérieux.

— Aucun, monsieur Burgess, répondit-elle avec lassitude.

— M. Ovato sera certainement millionnaire dans quelques années...

Sally serra les lèvres. L'accusait-il de se comporter de manière aussi vénale que Vanessa ?

— Mes critères ne sont pas ceux de Mme West-morland, rétorqua-t-elle sèchement. En outre, si j'épousais un homme, riche ou pauvre, je ne me précipiterais pas aussitôt pour retrouver mon ancien fiancé...

— Taisez-vous, ordonna Adam d'une voix rauque. Taisez-vous, je vous en supplie.

Il semblait furieux et se détourna, en glissant ses mains dans ses poches. Un long silence s'ensuivit.

— Votre présence risque d'amener Juan et Ramon à se battre, poursuivit-il, au bout d'un moment. C'est moi qui vous ai amenée ici, je suis donc responsable... Peut-être devrais-je vous faire partir.

— Non ! s'écria-t-elle d'un ton suppliant. Ce serait trop injuste ! Je suis parfaitement capable de les tenir à distance. Ils comprendront.

— Espérons-le ! On ne renonce pas facilement à tenter de séduire une jolie femme...

L'intéressée rougit et baissa les yeux. C'était là le premier compliment qu'il lui adressait, fût-ce indirectement.

— Venez, lança-t-il brusquement, en enserrant ses épaules. Retournons au temple.

Machinalement, la jeune femme se demanda si on ne risquait pas de les surprendre dans cette attitude. Le coucher du soleil finissait, mais il faisait encore suffisamment jour pour voir de loin.

En arrivant au bas des marches, Sally eut un léger mouvement de recul.

— Je... je n'ose pas grimper à nouveau. Ma cheville est toujours douloureuse...

— Allons, gourmanda-t-il. Un peu de courage, suivez-moi.

Il l'aida dans son escalade, tout en l'interrogeant :

— N'aimez-vous donc pas cet endroit ? Le point de vue est pourtant magnifique...

— Depuis que vous m'avez raconté l'histoire de *Coya-Pasca*, je n'arrive plus à le considérer de la même manière, avoua-t-elle.

— Je vous présente mes excuses, dit-il en s'adossant contre un pilier, la tenant toujours contre lui.

Quiconque les apercevrait à cet instant, pourrait croire à un couple d'amoureux sur le point de s'embrasser... Et peut-être, après tout, était-ce bien là l'intention de l'homme.

— Voulez-vous donner à penser que... que vous me

protégez ? s'enquit-elle, en s'efforçant de plaisanter. Un simple chaperon ne serait-il pas aussi efficace ?

— Je ne pense pas, murmura-t-il, en l'enlaçant plus étroitement. Au contraire, il est temps de faire comprendre à tout le monde que vous et moi sommes plus que de simples collaborateurs. Après tout, ils étaient convaincus de notre liaison, avant même notre arrivée...

Et pas seulement les membres du campement, songea-t-elle. Mais aussi tous les téléspectateurs britanniques... Qu'avait-il donc déclaré lors de l'interview ? « Sally et moi nous sommes rencontrés depuis quelques jours à peine. Mais déjà, je serais incapable de me séparer d'elle... »

La nuit commençait à tomber, et elle en fut soulagée. Elle préférait que leur étreinte, aussi feinte soit-elle, reste secrète.

— Dieu merci, il fait enfin sombre, murmura-t-elle. J'avais l'impression d'être le point de mire de tous les alentours.

— Parfait ! commenta-t-il brièvement. C'est exactement pour cela que nous sommes venus ici.

— D'ordinaire, remarqua-t-elle avec humour, ce type de scène romantique se déroule dans des films, sur un fond de violon, et les acteurs descendent l'escalier en dansant...

— Nous allons rentrer, mais sans exécuter aucun entrechat sur les marches, riposta-t-il, sur le même ton. Je vais vous raccompagner à votre chambre.

— Je préfère y retourner seule, protesta-t-elle.

— Pourquoi ? Vous avez tort. J'ai l'intention de vous rendre visite... Nous allumerons la lampe et vous prendrez quelques notes, tandis que je ferai un somme sur votre lit. Ce sera charmant. Au bout d'une heure ou deux, naturellement, je m'éclipserai...

— Je... je n'y tiens pas, insista-t-elle, alors qu'ils s'engageaient dans l'allée.

110

— Ne vous montrez donc pas si conventionnelle...
En outre, cela fait partie de mon plan.

Son plan, c'est-à-dire convaincre Juan et Ramon
d'une liaison entre la journaliste et le reporter...

Adam saisit impérieusement sa compagne par la main
et ouvrit la porte du bungalow. Sally se dirigea vers sa
table et alluma la lampe à huile ; dans la lueur vacillante
de la flamme, la pièce paraissait soudain minuscule,
envahie par la présence magnétique de l'homme. Il
fixait la jeune femme d'un regard énigmatique, presque
dur. Après avoir contemplé la chambre, les poings sur
les hanches, il se dirigea vers le lit, ôta ses bottes et
s'allongea.

— Enfin un peu de repos ! soupira-t-il avec délices.
J'ai bien abattu une dizaine de troncs dans la journée...
Avez-vous rédigé de nombreux feuillets, Sally ? J'aime-
rais les entendre.

L'intéressée s'assit sur le tabouret, feuilleta machinalement ses papiers et répliqua d'une voix hésitante :

— Ce sont juste des indications... rien d'extraordinaire.

— Lisez tout de même.

La jeune femme posa la pile de notes sur ses genoux,
face à son interlocuteur. Elle s'éclaircit la voix puis
commença sa lecture. L'avion pour New York, les
passagers, la chambre d'hôtel... Des phrases en style
télégraphique, sortes d'aide-mémoire, alternaient avec
des descriptions plus longues. Le jour de sa maladie,
dans la montagne, elle avait simplement écrit : « *Puna*.
Malaise des montagnes, fréquent en haute altitude.
Symptômes : lassitude, migraines, nausées. Dans mon
cas, très léger délire. »

Page après page, le récit continuait. Sally parlait d'un
ton vivant, mais, au bout d'un long moment, elle crut
qu'Adam s'était endormi. Cependant, à la fin de la

lecture, il ouvrit les yeux et lança à la journaliste un regard perçant.

— Vous avez un don d'observation extrêmement développé, ma chère, remarqua-t-il.

Elle sourit poliment. Rien ne manquait au récit, sauf l'histoire de Tim et de Megan... Mais il ne s'en doutait pas.

— Je suis parfaitement sincère ! poursuivit le reporter. Je vous fais tous mes compliments pour votre précision.

— Merci, souffla-t-elle avec reconnaissance.

Adam se redressa, s'assit au bord du lit et ordonna :

— Venez à côté de moi.

La jeune femme obéit. D'un geste spontané, naturel, l'homme posa son bras sur ses épaules.

— Je... je suis désolée de créer des problèmes à cause de Juan et Ramon, déclara-t-elle humblement. Je me montrais amicale avec eux, simplement parce qu'il est plus agréable de travailler dans une atmosphère sympathique et détendue.

— Avec moi, pourtant, vous n'avez pas fait beaucoup d'efforts pour vous montrer sociable, objecta-t-il en souriant.

Sally devint écarlate.

— C'est vrai. Je... j'avais tellement besoin de quitter *L'Echo de Radchester*...

Elle n'avait pas eu l'intention d'aborder le sujet, mais les mots lui avaient échappé. Les pupilles de son interlocuteur se rétrécirent.

— Pour quelle raison désiriez-vous donc partir ?

— Je devais épouser un photographe... un collaborateur du journal. Il...'il a trouvé quelqu'un d'autre, et la situation devenait trop insupportable.

Le reporter resta silencieux un long moment, une lueur de compassion dans son regard songeur.

— Je comprends, murmura-t-il enfin. J'avais remarqué votre bague de fiançailles, le jour de notre rencontre, puis sa disparition. Mais j'avais cru que vous aviez rompu par ambition, pour pouvoir poursuivre votre carrière…

— Vous êtes très observateur, vous aussi, fit-elle doucement, émue de le sentir si proche, si attentif.

Elle se mordilla les lèvres et ajouta :

— Deux jours avant mon rendez-vous avec vous, mon fiancé est parti en week-end avec ma meilleure amie. Je la connaissais depuis l'enfance, nous partagions le même appartement, et je n'aurais jamais imaginé…

Adam saisit sa main et la serra fortement, tandis qu'elle poursuivait son récit. Elle raconta tout : la découverte de Tim et Megan dans le café, les faux-fuyants, les mensonges. Les mots se bousculaient, mêlés de larmes inconscientes…

— Jusqu'à la fin, jusqu'au dernier week-end, ils n'ont fait semblant de rien. Meg disait être courtisée par son directeur, Tim affirmait être surchargé de travail… Si je ne les avais pas vus s'éloigner en voiture, le samedi matin, j'aurais continué à croire en leur sincérité… Et ils prétendent m'aimer encore, être désolés de me causer de la peine…

Les joues inondées de pleurs, Sally se blottit spontanément contre l'épaule de son compagnon. Jamais auparavant elle n'avait pu se confier à quiconque, et toute son émotion refoulée débordait d'un seul coup, la laissant tremblante et éperdue.

L'homme lui tapota gentiment le dos, sortit son mouchoir et lui essuya doucement les yeux. La tendresse de ce geste lui sembla étrangement réconfortante.

— Pardonnez-moi de vous importuner ainsi, balbutia-t-elle. Je n'avais jamais avoué cette histoire à personne, et n'ai pas réussi à m'arrêter…

Elle se souvint soudain d'en avoir parlé à Sheila

l'après-midi même. Cependant, elle n'avait mentionné alors aucun détail et, surtout, ne s'était pas mise à sangloter. Comment expliquer sa réaction présente ? La lassitude de la journée, lui avait-elle fait perdre le contrôle d'elle-même ?

— Vous sentez-vous mieux ? demanda enfin son compagnon, avec sollicitude.

— Beaucoup mieux... merci.

— Avez-vous de la famille, Sally ?

La jeune femme fut d'abord étonnée de la question, puis se rendit compte qu'il souhaitait la calmer en revenant à des sujets plus anodins. Elle raconta longuement son enfance auprès d'Edwin et Emma Barnett, puis s'étendit avec tendresse sur les qualités du vieux couple, sur la villa et ses rosiers... Sa voix trembla encore quelques instants, puis finit par redevenir normale. L'évocation de son oncle et de sa tante l'apaisait profondément. A un moment, elle remarqua en rougissant une large tache humide sur la chemise de son interlocuteur. Elle avait dû pleurer énormément.

— Edwin serait fasciné par la nature d'ici, lui qui prend tellement de soin de son jardin, poursuivit-elle néanmoins. Je lui ai écrit pour lui en parler.

Une fois par mois, en effet, un hélicoptère apportait le courrier et repartait vers la capitale chargé de lettres. Sally espérait recevoir bientôt des nouvelles.

— Il y a un jardin potager, à Purumaxi, souligna Adam. Si vous le souhaitez, nous y travaillerons ensemble de temps à autre. Cela vous plairait-il ?

La jeune femme lui adressa un regard à la fois incrédule et radieux. D'ordinaire, il ne la voyait presque pas dans la journée, et paraissait soucieux de se débarrasser d'elle...

— Je... j'en serais enchantée, avoua-t-elle à voix basse.

114

La compagnie du reporter était préférable à celle des deux étudiants, à celle de n'importe qui d'autre...

— Puis-je vous demander une autre faveur ? reprit-elle, les yeux brillants.

Il hocha la tête en souriant.

— Me... me ferez-vous visiter le palais aux serpents ? Celui qui a été découvert il y a quelques jours...

Amusé, il déposa un léger baiser sur la main de sa compagne.

— C'est promis, affirma-t-il d'un ton faussement solennel. A présent, il est grand temps d'aller dormir...

Il se leva, enfila ses bottes puis souleva du doigt le visage de la jeune femme et effleura ses lèvres d'un baiser aussi fugace, aussi léger que le premier.

— Faites de beaux rêves, murmura-t-il.

Sa haute silhouette s'enfonça dans la nuit, et Sally écouta longuement le bruit de ses pas résonner dans le silence du camp.

7

Sally n'aurait jamais pensé associer le nom d'Adam à l'idée de réconfort. Pourtant, depuis leur conversation, c'était le cas. En s'éveillant le lendemain matin, elle s'aperçut que l'évocation de Tim et de Megan ne lui causait plus ni amertume ni souffrance, et qu'elle pouvait considérer son employeur comme un nouvel ami.

— Bonjour, ma chérie, lança-t-il gaiement, lorsqu'elle pénétra dans la salle, pour le petit déjeuner.

La jeune femme rougit jusqu'à la racine des cheveux.

— Merci pour hier soir, chuchota-t-elle.

— De rien ! Asseyez-vous, je vais vous apporter une tasse de café.

Ramon les contemplait d'un air hautain. Il était hors de question à présent de retourner travailler avec lui...

— Je vous ai trouvé un nouvel emploi, annonça Adam en revenant. Carl aurait besoin d'une secrétaire pendant quelques jours, et vous accueillerait avec plaisir.

Un peu plus tard, la journaliste se rendit donc dans le bureau de M. Wittenburg. Sa matinée s'écoula paisiblement, à trier des fiches et dactylographier quelques lettres.

— Vous êtes d'une remarquable efficacité, déclara

Carl avec satisfaction. Je ne m'étais pas encore rendu compte de la nécessité pour moi d'avoir une collaboratrice !

L'après-midi, Sally accepta de poser pour Sheila, pendant une heure ou deux. L'artiste se mit au travail mais, tout en maniant le pinceau, entra aussitôt dans le vif du sujet :

— Tout le campement vous a vue vous promener avec M. Burgess, hier soir, commença-t-elle, d'un ton taquin. Les choses sont-elles vraiment sérieuses entre vous ? Ou bien s'agit-il uniquement d'un procédé, pour détourner l'attention de messieurs Ovato et Colthec ?

— C'est un « procédé », effectivement, indiqua laconiquement son modèle.

— Mm ! Dommage...

Sally ne répondit pas. Autrefois, elle aurait chassé d'un simple haussement d'épaules l'éventualité de « choses sérieuses » entre elle-même et le reporter. Mais, depuis leur arrivée à Purumaxi, elle devait admettre que la présence de cet homme ne la laissait pas indifférente. Elle la troublait même profondément, accélérait le rythme de sa respiration et les battements de son cœur... S'il lui ouvrait les bras, elle était sûre de s'y précipiter, d'y chercher un refuge sans aucune arrière-pensée. Mais que se passerait-il après ce séjour dans la jungle ? Se montrerait-il toujours aussi accueillant, une fois rentré en Angleterre ?

— Vous avez quelque chose de commun, tous les deux, fit Sheila avec gentillesse. Vous avez été abandonnés par vos fiancés respectifs...

Son interlocutrice sursauta et faillit répliquer. Vanessa était revenue à Adam, et les deux histoires avaient eu une conclusion bien différente... Mais il ne fallait pas révéler ce lourd secret.

— Nous avons rencontré Mme Westmorland l'été

117

dernier, expliqua l'artiste. A l'époque, elle se demandait si elle ne suivrait pas Adam ici, à Purumaxi.

Sally eut une vision des quatre personnages assis au soleil, dans le jardin du manoir Burgess. Abel Rexham, son épouse, le reporter et l'actrice, ses cheveux blonds tombant sur ses épaules...

— En fait, ajouta Sheila avec une certaine réticence, j'ai même peint un portrait de Vanessa, à l'époque.

— Elle est fort belle, acquiesça machinalement sa compagne.

— Oui...

— Où se trouve ce portrait, à présent ?

— Ici. Je ne l'ai pas mis en vente. C'est un sujet un peu trop personnel...

Le peintre chercha un instant dans ses cartons et exhiba triomphalement l'œuvre en question.

C'était une véritable réussite. L'actrice se tenait de profil et son teint lumineux était parfaitement rendu. Des boucles d'or finement ciselées, pendaient à ses oreilles ; une chaîne assortie ornait son cou. Elle était vêtue d'une tunique blanche, aérienne.

— Elle me fait penser à *Coya-Pasca*, murmura la journaliste.

— J'avoue avoir aussi songé à la fiancée du soleil, effectivement. A présent, je ne sais que faire de ce portrait.

— Pourquoi ne pas le donner à Adam ?

Mme Rexham lui lança un coup d'œil choqué.

— Avec les circonstances ? Non, ce n'est pas possible !

— Je suis sûre qu'il l'aimerait beaucoup. En outre, ajouta Sally avec embarras, ils sont certainement restés bons amis...

— Croyez-vous ?

— Je... j'ai cru reconnaître l'écriture de Vanessa sur plusieurs enveloppes, à la distribution du courrier.

118

Car la célèbre comédienne écrivait souvent à son ancien fiancé. Probablement lui répondait-il avec diligence…

— Vous devriez vraiment lui offrir ce tableau d'autant plus qu'il est superbe. Vous avez beaucoup de talent, Sheila.

Sur la toile, effectivement, le ravissant visage semblait prêt à s'animer, à prendre vie… Cette femme était le véritable amour d'Adam Burgess. Tout le reste, et en particulier son amitié avec sa collaboratrice, devait lui paraître de simples enfantillages. Il fallait s'en souvenir…

Sally passa la soirée dans la salle commune, à jouer au Scrabble avec Carl Wittenburg. Personne ne l'avait invitée à se promener et elle préférait, vu les circonstances, ne pas s'aventurer seule à l'extérieur.

Adam était assis non loin d'eux, occupé à lire. Lorsque le jeu se termina et que la jeune femme se leva, il posa son livre et lui jeta un regard interrogateur.

— Je vais regagner ma chambre, expliqua-t-elle. Je dois rédiger quelques notes.

Elle souhaita le bonsoir à la cantonade, puis se dirigea vers la porte. Le reporter l'avait suivie.

— Je vous raccompagne, lança-t-il.

— Je… je vais travailler, je préfère rester seule.

— Faisons tout de même quelques pas ensemble…

Il traversa la cour avec elle, puis la quitta sur le seuil. Une fois seule dans sa chambre, Sally s'adossa contre le mur, haletante. Si elle l'avait invité à entrer, il aurait accepté sans hésitation. Elle avait dû résister de toutes ses forces à la tentation de lui proposer un dernier verre… N'avait-elle pas compris la leçon magistrale reçue à propos de Tim? Ne savait-elle pas encore combien il était douloureux de perdre quelqu'un? Adam Burgess était extrêmement séduisant, et il serait facile de succomber à son charme, au risque d'être abandonnée et de souffrir une nouvelle fois...

La journaliste s'assit pesamment devant son bureau. Elle alluma la lampe et contempla d'un œil vide sa pile de notes. Ce soir, en fait, il était impossible d'écrire quoi que ce soit...

Les coups vigoureux frappés à la porte la firent sursauter. Elle se précipita pour ouvrir, et se trouva nez à nez avec Ramon Ovato.

— J'aimerais vous parler, dit-il avec raideur.

— Je ne suis pas disponible à présent, répliqua-t-elle sèchement.

Il parcourut la pièce d'un regard inquisiteur.

— Pourquoi pas ? Vous êtes pourtant seule, ce soir.

— Je suis occupée à mon bureau...

— Sally, j'éprouve pour vous...

La jeune femme ne le laissa pas poursuivre. Une soirée avec Ramon, et elle se retrouverait sans aucun doute dans le prochain hélicoptère en partance pour Quito.

— Ecoutez, lança-t-elle, M. Burgess a surpris une conversation à mon sujet entre vous et Juan...

Son auditeur parut désarçonné et avala sa salive.

— Vos paroles lui ont profondément déplu, poursuivit-elle. Chacun de vous s'est fait beaucoup d'illusions sur moi, et il est temps que cela cesse. Il m'a ordonné de vous fuir. En ce qui me concerne, j'obéis toujours à mon employeur.

— Je vois, persifla l'autre. Vous vous comportez comme la secrétaire modèle, et probablement plus... Vous avez tort. Je pourrais vous offrir une situation nettement supérieure à la sienne.

La journaliste se borna à hausser les épaules. Le regard de l'étudiant se fit plus dur.

— Soyez sérieuse, railla-t-il. La fortune des Ovato...

— ... Peut peut-être acheter beaucoup de choses,

compléta-t-elle d'un ton glacial, mais pas moi. J'aime mon métier par-dessus tout, et vous ne pourriez rien me donner de ce que je désire le plus au monde.

Elle repoussa fermement la porte sur son visage perplexe et contrarié. Ne s'était-elle pas montrée un peu trop dure avec lui? Après tout, il le méritait. Mêler l'argent aux sentiments était particulièrement détestable.

Le lendemain était un dimanche, et la routine du camp se modifiait à cette occasion. Les hommes, accompagnés parfois par Sheila, qui avait un bon coup de fusil, allaient chasser dans la jungle. Ils emportaient des provisions et y passaient toute la journée. Comme d'habitude, Sally ne les suivit pas, mais, cette fois, Adam en fit autant. Chacun resta à travailler dans son bungalow respectif.

Au milieu de la matinée, la jeune femme reposa un dossier et leva la tête. Le silence des environs, auquel elle n'avait pas prêté attention jusqu'à présent, paraissait soudain particulièrement intense. Le bruit quotidien des machines et des voix, était remplacé par celui des oiseaux, du vent dans le feuillage, de la nature rendue à elle-même... Une sorte d'immense présence se faisait imperceptiblement sentir. Saisie d'une soudaine impulsion, comme si elle ne pouvait résister à un appel, la journaliste décida de partir en exploration. Elle savait le reporter présent quelque part mais éprouvait l'impression mystérieuse que, pour une fois, la cité lui appartenait tout entière.

Elle sortit du bungalow, examina les alentours et se dirigea vers la clairière à moitié débroussaillée. Des singes hurleurs jouaient sur les temples et les monuments, sautaient d'une terrasse à l'autre, comme des enfants turbulents. Des perroquets jacassaient dans les arbres, rythmant le crissement régulier des insectes.

Sally désirait vivement visiter le palais aux serpents, mais elle devait demander à Adam de l'accompagner...

Au moment précis où elle songeait à lui, il apparut et ils échangèrent un sourire.

— J'espérais vous trouver, lança-t-elle. Etiez-vous dans votre bureau ?

— Non, j'ai escaladé le temple, encore une fois. La vue y est tellement merveilleuse...

— Vous avez décidément le goût des sommets. Le vertige ne vous saisit-il jamais ?

— Mais si, à l'occasion, rétorqua-t-il en grimaçant.

— Vraiment ! J'aimerais voir cela...

Leurs rires résonnèrent dans les allées désertes. Le silence, après coup, sembla encore plus prenant.

— Les autres sont-ils tous partis à la chasse ? interrogea-t-elle.

— Oui. Je les ai vus s'éloigner du haut de mon perchoir.

— Je... j'aimerais infiniment visiter le palais aux serpents. C'est dans cette intention que je vous cherchais.

— Allons-y, déclara-t-il. Vous allez entrer dans mon royaume...

Des mousses verdâtres et des lichens couvraient les pierres des bâtiments exhumés. Le chemin qui circulait entre eux était encore encombré de souches, de morceaux de lianes, de toute une végétation luxuriante, et s'avérait beaucoup moins sûr que les routes dallées de la cité.

Sally avait l'impression de pénétrer dans une ville hantée. Derrière ces murs qui revoyaient pour la première fois depuis des siècles la lumière du soleil, le souvenir fantômatique de centaines d'Incas errait comme un rêve... On ne savait pas vraiment ce qui avait causé la ruine de Purumaxi. Les traces de batailles étaient peu nombreuses, et les habitants n'avaient donc pas succombé à un siège. Peut-être avaient-ils été décimés par une épidémie. Les rares survivants avaient dû se réfugier dans la jungle avoisinante, et les Indiens actuels de la région étaient probablement leurs descendants. Mais la cité leur était devenue tabou, ils n'y étaient jamais revenus, et Purumaxi avaient été enfouie dans la forêt jusqu'à ce que le premier explorateur vienne dévoiler à nouveau sa splendeur…

Lors de la découverte, quatre ans auparavant, Adam faisait partie de l'expédition archéologique de Carl Wittenburg. Le site l'avait profondément enthousiasmé. Probablement s'était-il promis d'y revenir avec Vanessa. Or, c'était Sally qui remplaçait l'actrice… Elle se demanda s'il en était déçu.

Ils atteignirent enfin le fameux palais. Comme le temple du soleil, il se trouvait au centre d'un carré déblayé. Une allée ombragée de frondaisons menait jusqu'à l'entrée. Dans le reste de la cité, tout avait été entièrement dégagé ; mais la jungle, ici, était encore si présente, que l'atmosphère en devenait mystérieuse, presque terrifiante. L'ancienne et cruelle civilisation semblait tapie dans les fourrés d'un vert glauque, prête à s'éveiller…

Adam indiqua du doigt un minuscule pilier en forme de corps humain, rongé par les mousses, et placé devant la porte.

— Il s'agit d'une sorte de dieu, expliqua-t-il, un *huaca*. Les Incas l'appelaient « le Maître de la parole ».

Sally frissonna. Le visage grimaçant évoquait d'horribles sacrifices humains…

Le porche du palais s'ouvrait sur un escalier conduisant vers une pièce obscure, souterraine, soutenue de colonnes aux sculptures étranges. C'était l'endroit idéal pour les serpents, songea la jeune femme en se rapprochant instinctivement de son compagnon. Il glissa son bras sous le sien. Une autre volée de marches remontait de l'autre côté et ils débouchèrent dans une immense salle voûtée, donnant sur un patio à ciel ouvert que les arbres et les taillis couvraient comme un toit. Il y régnait une sorte de pénombre fraîche et végétale.

— Cette pièce était la demeure royale, expliqua-t-il. Naturellement, les bois et les tissus dont elle était ornée n'ont pas résisté à l'usure du temps. Seule subsiste la pierre...

— La princesse vivait-elle ici ?

— Oui. Probablement ressemblait-elle un peu au portrait peint par Sheila...

Il faisait allusion au tableau de Vanessa ! Ainsi, il le connaissait...

— C'est une toile magnifique, n'est-ce pas ? balbutia-t-elle. Comptez-vous la donner à Mme Westmorlan ?

— Je ne sais pas encore. Mme Rexham me l'a remise pour que je la garde. Dites-moi, que lui avez-vous raconté exactement au sujet de Vanessa ?

— Simplement, qu'à mon avis, vous étiez restés amis.

— N'avez-vous pas révélé la présence de mon ancienne fiancée chez moi, le jour de votre première visite ?

Sa voix était douce, calme, mais en même temps légèrement menaçante. Sally réprima un imperceptible tremblement.

— Non, naturellement ! protesta-t-elle.

Tout d'un coup, une panique absurde, incompréhensible, la saisit. Si Adam ne la croyait pas, n'essaierait-il pas de se débarrasser d'elle, de la réduire au silence une fois pour toutes ? C'était l'endroit idéal. On la trouverait le lendemain assommée par une pierre, et tout le monde penserait à un accident... Un homme aussi déterminé n'était-il pas prêt à tout pour sauvegarder son secret ? La jeune femme se sentit submergée de terreur. Elle vivait un véritable cauchemar. Subitement, aveuglée par la peur, presque délirante, elle s'arracha à l'étreinte de l'autre et se mit à courir comme une folle en direction de la sortie. Son esprit ne raisonnait plus ; seul son corps, comme répondant à un mystérieux instinct de survie, guidait ses pas.

Elle l'entendit crier, accéléra l'allure, tendit les bras devant elle en voyant confusément surgir un obstacle et s'effondra sur le sol. Adam l'avait rejointe. Elle se redressa, sentit un goût de sang sur ses lèvres et lui jeta un regard apeuré. Mais il ne bougeait pas, se contentant simplement de la fixer avec surprise... Enfin, très lentement, il lui tendit la main pour l'aider à se relever.

— Sortons d'ici, dit-il simplement. Vous avez heurté un pilier.

La jeune femme se mit debout en baissant la tête. La folie qui l'avait saisie s'était envolée, la laissant honteuse et maladroite. Elle essuya sa lèvre écorchée.

— Cet endroit est très impressionnant, n'est-ce pas ? jeta l'homme d'un ton léger, en la guidant vers l'extérieur.

Ses yeux se posèrent sur elle, intrigués et légèrement inquiets, démentant le sourire qu'il s'efforçait d'arborer pour la rassurer.

— Que vous est-il arrivé ? poursuivit-il gaiement. Avez-vous aperçu le fantôme d'un Inca ?

— Non. Je... je craignais que vous ne songiez à me tuer, souffla-t-elle en devenant écarlate.

— Quoi ? s'écria-t-il sidéré. Qu'avez-vous dit ?

— Pour... pour m'empêcher de révéler votre secret avec Vanessa...

— Au nom du ciel ! Qu'est-ce qui a pu vous suggérer une idée semblable, Sally ?

— Je... je ne sais pas. Vous n'avez jamais voulu croire à mes protestations, lorsque vous m'accusiez de chantage...

Adam ne répondit pas immédiatement, mais éclata de rire.

— Ne parlons plus de cela, répliqua-t-il enfin. Mais savez-vous que vous couriez un danger beaucoup plus grand à vous précipiter à l'aveuglette dans cet endroit, qu'à faire n'importe quoi d'autre ?

La jeune femme rougit à nouveau. Effectivement, elle risquait de rencontrer un serpent à sonnettes, de tomber dans un puits... Sur le moment, elle n'avait absolument pas réfléchi.

— En outre, poursuivit son interlocuteur, comment réagirais-je si vous rompiez votre promesse de ne pas mentionner Vanessa ? Je vous renverrais, puis vous accuserais simplement de colporter des ragots pour vous venger d'être mise à la porte... C'est tout.

Il se pencha et lui caressa la joue avec une extrême douceur.

— Comment pourrais-je vous causer le moindre mal, Sally ?

L'intéressée se sentit parfaitement ridicule. Sa fuite et sa chute la laissaient extrêmement faible.

— Je suis désolée, murmura-t-elle. Tellement désolée...

Elle s'appuya sur sa jambe et poussa un léger cri.

— Ma cheville ! J'ai dû la tordre... J'ai horriblement mal !

— Cela ne m'étonne pas. Asseyez-vous et montrez-moi cela.

Il lui ôta sa botte avec précaution puis massa habilement l'endroit douloureux.

— Vous n'avez rien de cassé, assura-t-il. Mais sans aucun doute une bonne entorse...

D'autorité, il lui plaça la botte dans la main. L'un de ses bras se glissa autour du cou de la jeune femme et l'autre la souleva comme une plume.

Tout au long du chemin qui les ramenait aux abords du campement, le reporter bavarda sans arrêt, pour la distraire de sa souffrance... Sally avait posé la tête

126

contre son épaule. Elle l'écoutait parler, heureuse d'être contre lui, de le sentir si proche... Presque trop proche. Un trouble profond l'envahissait à nouveau, comme à chacun de ses contacts privilégiés avec lui. Ce trouble était à la fois fascinant et redoutable...

— Vous n'êtes pas lourde, lança brusquement Adam, mais vous finirez tout de même le trajet dans la brouette. Vous y serez un peu moins secouée.

Il la déposa un instant à terre, approcha la brouette rangée contre le mur d'un bungalow et l'y installa. Sally ne put s'empêcher d'éclater de rire.

— Quel curieux équipage ! Je me demande ce que les Incas en auraient pensé...

— Etant donné qu'ils ne connaissaient pas l'usage de la roue, probablement pas grand-chose, ma chère. Etes-vous bien assise ?

— Oui, merci.

— Aviez-vous vraiment peur de moi, en arrivant ici ?

— Un peu...

— Dans ce cas, pourquoi être venue tout de même ?

— Je désirais par-dessus tout voir Purumaxi.

Après un court silence, Adam déclara d'une voix légèrement rauque :

— Je suis heureux que vous m'ayez suivi, Sally.

— Moi aussi, Adam.

Ils se turent, conscients de la douce complicité qui existait entre eux. Durant deux mois encore, ils partageraient la même vie au cœur de la jungle... La jeune femme analysa sa réaction dans le palais et se convainquit finalement que l'atmosphère étrange était la cause principale de sa terreur. Elle ne craignait plus le reporter. Sans la douleur de sa cheville, elle aurait été parfaitement heureuse, et la promenade en brouette se révélait particulièrement amusante.

En arrivant devant la salle commune, l'homme souleva à nouveau sa compagne et la déposa avec précaution dans un fauteuil. Le volume de l'entorse avait augmenté de moitié. Il y plaça des compresses froides puis l'entoura d'un bandage bien serré. Ensuite, il alla chercher des vêtements de rechange dans la chambre de Sally et les lui apporta. Cette dernière lui était extrêmement reconnaissante de ces attentions, tout en s'étonnant de ne pas être embrassée. Pour la première fois, elle ressentait le désir ardent d'un baiser... Elle se secoua. Leur amitié sortait renforcée de l'incident, et c'était déjà un énorme acquis. Adam avait préparé un délicieux dîner. Ils devisèrent gaiement, tout en le dévorant. Ils parlèrent du passé, du présent... mais évitèrent toute allusion au futur.

Lorsque les autres rentrèrent de la chasse, ils compatirent avec Sally et acceptèrent sans difficulté l'explication d'une chute en visitant le palais aux serpents.

— Il vous faudra rester allongée pendant quelques jours, conseilla Lewis Kent.

Un peu plus tard, le reporter reconduisit sa collaboratrice à sa chambre.

— Je vais vous prêter une canne, afin que vous puissiez vous déplacer un peu, annonça-t-il.

— Merci, infiniment. En outre, plaisanta-t-elle, cela m'aidera à chasser les indésirables... Ramon m'a rendu visite, hier soir, et m'a fait miroiter ses perspectives de richesse.

Le visage d'Adam s'assombrit.

— Avez-vous réussi à vous débarrasser de lui ?

— Oui, je l'ai mis à la porte.

— J'aurai une conversation avec lui, dès demain. Reposez-vous bien.

L'entorse s'améliorait rapidement mais limita nettement les activités de la journaliste pendant un certain temps. Le matin, elle allait en boitillant jusqu'au bureau de Carl et s'y installait pour travailler. On lui rendait de nombreuses visites, en particulier Sheila Rexham qui

128

passait de longs moments avec elle. Seuls, Juan et Ramon — dûment sermonnés par Adam et Manuel — ne se montraient pas. Leur compagnie ne manquait pas à la jeune femme ; elle avait réussi à établir des liens d'amitié infiniment plus profonds avec le reste du groupe. Et surtout avec son employeur...

Celui-ci avait totalement changé d'attitude envers elle. Autant, au début du séjour, il paraissait indifférent et lointain, autant à présent il s'occupait de Sally avec une sollicitude constante et empressée. Il se posait comme son protecteur attitré et elle en tirait un merveilleux sentiment de sécurité. De temps à autre, en lui apportant son dîner ou en l'aidant à se promener un peu, il l'appelait à nouveau « ma chérie » ; mais c'était une sorte de surnom affectueux, probablement dénué de toute signification sérieuse. Leur relation était amicale, enrichissante, et cependant strictement platonique. Adam ne profitait absolument pas de la situation pour flirter avec la jeune femme, là où d'autres n'auraient pas hésité... Il était certainement, dut-elle s'avouer, moins amoral qu'elle ne l'avait cru tout d'abord. Pourtant, sa seule présence rayonnait de sensualité, sans même qu'il s'en rendît compte. Il avait une « aura » extraordinairement vibrante, à laquelle peu de femmes sauraient sans doute résister. Mais il ne désirait pas Sally... Une seule femme au monde devait compter pour lui : Vanessa. Cette dernière continuait à lui écrire régulièrement, et à chaque arrivée du courrier la journaliste détournait les yeux en le voyant déchirer les longues enveloppes portant l'écriture de l'actrice.

Megan, d'ailleurs, avait elle aussi envoyé des nouvelles à son amie. Elle annonçait sa prochaine visite à la mère de Tim, mais, curieusement, ce fait ne troubla pas autant la jeune Doyle qu'il aurait pu le faire plusieurs mois auparavant. L'image de Vanessa Westmorland lui était beaucoup plus douloureuse... Le portrait de celle-

129

ci, elle s'en était aperçue, était à présent suspendu dans la chambre que le reporter partageait avec Carl. Chaque soir, en s'endormant, il avait le ravissant visage juste en face de son lit...

En fait, songea la journaliste, l'homme de sa vie à présent n'était plus Tim, mais Adam. Etait-ce de l'amour qu'elle éprouvait pour lui ? Elle n'aurait su le dire. C'était un curieux mélange d'attirance physique, d'admiration pour sa culture et son intelligence, d'attendrissement devant sa force mêlée d'humour... Mais tous ces sentiments resteraient toujours sans réponse. Même si l'homme appréciait sa secrétaire, il gardait son amour pour sa maîtresse.

Un après-midi, il pénétra dans le bureau où Sally était en train de lire une lettre de sa tante.

— Est-ce que tout va bien dans notre vieux pays ? s'enquit-il en souriant.

Elle posa la feuille devant elle et répondit à son sourire.

— La seule mauvaise nouvelle concerne les rosiers d'Edwin. Ils sont atteints de pucerons... Avez-vous reçu également du courrier ?

Il se borna à hocher la tête, et la présence de Carl empêcha la journaliste de demander comment se portait Vanessa.

Cependant, plus tard dans la soirée, elle saisit une occasion où elle était seule avec lui, pour poser enfin la question.

— Mme Westmorland semble aller très bien, répliqua-t-il d'un ton neutre.

— Vous devez lui manquer, je suppose...

— Elle le laisse entendre, effectivement.

La journaliste réprima un soupir. Aucun homme ne lui écrivait qu'il s'ennuyait d'elle...

— Je... J'ai reçu une lettre de Megan, dit-elle soudain. Elle va bientôt rencontrer la mère de Tim. Mon ancien fiancé a une mère charmante... Nous nous entendions très bien. Pour elle, j'étais l'épouse idéale.

— Elle a visiblement meilleur goût que son fils, répliqua sobrement le reporter.

Ils étaient assis sur l'herbe, après le repas, et la jeune femme leva vers le ciel étoilé un regard émerveillé.

— Purumaxi me paraît comme un autre monde...

— C'en est un, Sally. Mais dans trois semaines, malheureusement, nous l'aurons quitté.

— Travaillerai-je encore pour vous ?

— Si vous le désirez, bien sûr.

— Je... j'aimerais beaucoup.

— Où vous rendrez-vous à votre arrivée en Angleterre ?

— Chez mon oncle et ma tante.

— Bien. Moi-même, je passerai deux semaines à New York avant de rentrer définitivement. Je vous téléphonerai dès mon retour.

Il parlait d'un ton professionnel, et elle se força à répliquer gaiement :

— J'attendrai votre appel avec impatience.

New York... Il y avait certainement rendez-vous avec Vanessa. Dieu merci, Sally n'était pas *vraiment* amoureuse de lui... Sinon, elle se serait sentie désespérée.

Les derniers jours du séjour passèrent comme un éclair. Carl était désolé de voir partir son employée provisoire, mais il s'inclina. Adam avait annoncé à la jeune femme qu'il lui verserait intégralement son salaire sur son compte bancaire, même si elle n'avait pas vraiment travaillé pour lui durant le séjour.

— La somme que je pourrais vous offrir serait certainement moins importante, plaisanta Carl Wittenburg. Si vous restiez, ce serait uniquement pour mes beaux yeux... Mais là encore, Adam l'emporterait sur moi !

La jeune femme éclata de rire en rougissant.

— J'ai beaucoup aimé collaborer avec vous, assura-t-elle. J'en garderai un excellent souvenir.

Sheila avait à présent achevé le portrait commencé deux mois plus tôt. Il était très réussi, quoique moins beau que celui de Vanessa — mais la beauté de la journaliste était moins radieuse que celle de l'actrice — et, de toute façon, Emma Barnett serait enchantée de recevoir le tableau en cadeau.

Avant de l'emballer, Sally y jeta un dernier coup d'œil. L'artiste l'avait représentée assise sur une colonne brisée, ses cheveux auburn légèrement ébouriffés par le vent, avec une très belle vue de Purumaxi à l'arrière-plan. La journaliste souriait sur la toile d'un air rêveur. Elle paraissait infiniment plus jolie que sur n'importe quelle photographie et il émanait d'elle une forte impression de bonheur et de béatitude.

— Vous m'avez donné un air profondément heureux, déclara la jeune femme à Mme Rexham.

— Ne l'avez-vous pas été, durant votre séjour ?

— Si, vous avez raison...

Elle ne se retrouverait probablement jamais dans un endroit aussi enchanteur. En outre, pendant plusieurs mois, elle avait pu profiter de l'amitié d'Adam sans aucun obstacle...

— Votre visite dans la jungle sera l'un de vos meilleurs souvenirs, souligna gentiment Sheila, comme si elle devinait les pensées de l'autre.

Car elle connaissait Vanessa, et se doutait peut-être de son emprise sur le reporter... Qui ne manquerait pas de se manifester sitôt le retour de celui-ci dans son pays natal.

D'ailleurs, le peintre avait refusé tout paiement pour le tableau. « C'est un présent d'adieu », avait-elle insisté, « en mémoire de notre amitié ». Elle donna aussi à la journaliste le croquis sur lequel elle avait ajouté un tigre et un oiseau.

132

— Curieusement, plaisanta-t-elle, le félin s'avère plus facile à apprivoiser que l'autre...

Sally sourit pensivement. Le chant de Ramon Ovato s'était révélé trompeur, tandis que la dureté apparente de son employeur laissait découvrir une gentillesse et une tendresse autrefois insoupçonnables.

8

La dernière soirée à Purumaxi ressembla étrangement à la première. Il y eut un grand dîner arrosé de vins délicieux, des chants, des discours. Adam se leva pour porter un toast et déclarer combien lui et son assistante avaient apprécié leur séjour. Carl prit la parole à son tour :

— Nous sommes tous enchantés d'avoir eu votre visite. Naturellement, nous espérons vous revoir le plus vite possible. Peut-être même l'année prochaine, à la même époque ?

— Nous reviendrons, c'est promis, assura le reporter.

Sally se demanda s'il l'incluait dans ce « nous ». Les autres en semblaient convaincus ; mais elle en doutait un peu. Même Juan et Ramon lui adressèrent des adieux chaleureux en souhaitant « son retour rapide à Purumaxi ». Sur le moment, elle fut persuadée de leur sincérité.

Tard dans la soirée, la jeune femme se dirigea vers le temple du soleil en compagnie d'Adam. Il lui était si cruel de quitter la cité, qu'elle aurait souhaité grimper à nouveau les marches avec lui, et passer plusieurs heures à bavarder sous la voûte du ciel… Mais il se pencha pour lui dire bonsoir, sans manifester l'intention de rester plus longtemps en sa compagnie.

— Bonne nuit, murmura-t-il d'une voix étouffée. Dormez bien.

Il déposa un léger baiser sur sa joue et s'éloigna. Les bras croisés, profondément déçue, elle le regarda disparaître dans l'obscurité. Demain, l'hélicoptère viendrait les chercher, et tout serait terminé...

Sally ramassa machinalement un petit morceau de poterie égaré dans l'allée. Cela lui ferait un souvenir supplémentaire... En caressant du doigt les bords déchiquetés du fragment, elle songea soudain au portrait de Vanessa suspendu au-dessus du lit d'Adam Burgess. Elle l'aurait lacéré avec plaisir, avec cet instrument improvisé ! Immédiatement, elle eut honte de cette impulsion. L'ancienne sauvagerie inca, qui rôdait dans la cité, finirait-elle par déteindre sur elle ?

Soudain, elle reconnut le pas de Ramon Ovato. Il était trop tard pour escalader les marches et se mettre hors de sa portée. Probablement se contenterait-il d'une remarque banale et rentrerait-il se coucher.

Cependant, en arrivant à la hauteur de la jeune femme, il lança d'une voix arrogante :

— Vous venez d'avoir un avant-goût de ce qui vous attend à votre retour...

— Que voulez-vous dire ? interrogea-t-elle en se raidissant.

Il la saisit par le bras et ricana.

— Vous m'avez très bien compris... M. Burgess vous a poliment souhaité le bonsoir, puis s'est éclipsé. Il n'éprouve rien de sérieux pour vous, vous le savez pertinemment. Rien ne vous oblige à repartir demain en même temps que lui, Sally. Je suis passionnément amoureux de vous. Si vous le désirez, ce soir, vous et moi...

Folle de rage, son interlocutrice se dégagea d'un geste brusque.

— Laissez-moi tranquille ! Je suis venue à Purumaxi pour travailler, et pour rien d'autre !

— Je vois. Vous allez publier un livre de souvenirs absolument charmant, en espérant vous faire un nom... Est-ce là toute votre ambition ?

— Mes ambitions ne vous concernent en rien. A présent, partez. Je tiens à rester seule.

Elle courut en direction de son bungalow, suivie par le jeune homme, mais réussit à lui fermer la porte au nez.

Ces cinq minutes profondément désagréables concluant la soirée lui laissaient un mauvais goût dans la bouche ; elle s'en serait volontiers passée.

Sally posa sur son bureau le fragment de poterie rougeâtre. Le lendemain, à la même heure, ce petit objet dérisoire serait son seul souvenir d'un merveilleux voyage...

« Vous venez d'avoir un avant-goût du retour », avait persiflé Ramon. Il avait cruellement raison. Les larmes aux yeux, elle se glissa dans son lit.

En s'éveillant, trois heures avant l'arrivée de l'hélicoptère, la journaliste termina en hâte ses bagages et partit pour un grand tour de la cité. Elle voulait tout revoir, tout fixer dans sa mémoire avant de s'en aller à jamais...

— Vous ne tenez pas en place, avait plaisanté Adam en la voyant courir ici et là.

— J'aurai tout le temps de rester tranquille dans le futur, avait-elle répliqué d'une voix rauque.

Puis ce fut enfin le départ, les derniers adieux teintés d'émotion... Elle avait l'impression de quitter pour toujours ces gens avec qui elle avait vécu et travaillé. La sensation était singulièrement attristante. Heureusement, Sheila les accompagna jusqu'à Quito ; elle y avait rendez-vous dans plusieurs galeries d'art où elle songeait à exposer ses œuvres. Le soir, les deux femmes partagèrent la même chambre d'hôtel.

Sally fit sa toilette puis ouvrit son sac pour en sortir son carnet et y inscrire quelques notes. Cette habitude de tenir un journal de bord lui était devenue indispensable.

Le carnet semblait avoir disparu. Elle fouilla à plusieurs reprises, souleva ses vêtements, inspecta son sac à main... Impossible d'y mettre la main dessus. Pourtant, elle se souvenait nettement d'avoir rangé tous ces documents — cinq cahiers et une pile de feuilles volantes — dans la poche centrale de son sac de voyage.

— Avez-vous perdu quelque chose? s'enquit Sheila, depuis son lit.

— Toutes mes notes... j'étais pourtant certaine de les avoir emportées...

Mme Rexham sursauta et posa son livre sur la couverture.

— Les auriez-vous oubliées à Purumaxi? On a parfois l'impression d'avoir emballé quelque chose, mais on se trompe...

— Cela me paraît difficile à croire. Il me manque tout : les cahiers — y compris mon petit carnet — et mes feuilles.

— Où peuvent-ils donc être?

— Je n'en ai pas la moindre idée.

— Quelqu'un d'autre pourrait-il s'en servir?

— J'en doute. Ce sont des notes personnelles, uniquement destinées à mon propre usage.

— Ne se trouveraient-elles pas dans les bagages d'Adam, par hasard?

— Je ne vois pas par quel miracle elles y auraient échoué...

Sally décrocha tout de même le téléphone et demanda la chambre du reporter.

— Adam, avez-vous mes cahiers avec vous?

— Non, bien sûr ! Je ne les ai pas vus depuis une semaine. Les auriez-vous laissés derrière vous ?

— Je suis absolument sûre de les avoir pris.

— Demandez tout de même à Sheila de vous les faire parvenir, au cas où elle les retrouverait dans votre chambre.

— Oui, je n'y manquerai pas.

Après s'être excusée, elle raccrocha et, soudain, un cri étranglé lui échappa.

— Que se passe-t-il ? questionna sa compagne, intriguée.

— Un soupçon... A mon avis, Ramon Ovato n'est pas étranger à cette disparition.

— Vraiment ? Mais que ferait-il de vos notes ?

— Je l'ignore. Seulement, j'ai encore dû repousser l'une de ses avances, hier soir, et il s'est plus ou moins moqué de mon travail...

— Certes, mais de là à dérober vos papiers... Ce serait une conduite si enfantine ! Cet étudiant a tout de même une trentaine d'années...

Sally ne répondit pas, elle était convaincue de la culpabilité du jeune homme. Même si personne ne la croyait, il n'y avait aucune autre explication possible.

La perte de ses documents la contrariait profondément. Il serait infiniment plus difficile, sans eux, de rédiger les articles promis. En outre, elle avait l'impression qu'on lui arrachait brutalement ses souvenirs...

Si Ramon pouvait la voir en ce moment, malade de dépit, il aurait probablement honte de lui-même. Il n'avait vraisemblablement pas agi par méchanceté ; c'était surtout son incommensurable orgueil qui l'avait guidé. Seulement, le Brésilien était à des centaines de kilomètres, et il était incapable de mesurer les conséquences de son acte... « A l'heure qu'il est », songea mélancoliquement la journaliste, « mes cahiers sont

138

certainement en train de brûler au beau milieu d'un feu de joie »...

Le lendemain matin, Adam taquina son assistante à propos de sa distraction. Elle ne lui fit pas part de sa certitude ; il ne l'aurait probablement pas partagée. A sa grande surprise, cependant, il lui confia un magnéto-phone et une douzaine de bandes magnétiques.

— J'ai enregistré moi-même un certain nombre de réflexions, expliqua-t-il. Vous les écouterez dès votre retour... Cela vous aidera à compléter vos propres évocations.

— Merci, balbutia-t-elle, profondément touchée.

Lorsque l'avion de Sally atterrit à Londres, deux jours plus tard, la voix d'Adam Burgess était tout ce qu'elle emportait de lui. Il s'était arrêté à New York, en promettant de lui téléphoner dès son retour. Elle le reverrait dans deux semaines, mais d'ici là, il serait auprès de Vanessa... Il ne fallait pas y penser ; c'était trop douloureux.

Aucun ami n'était venu attendre à l'aéroport ; elle n'avait prévenu personne de son arrivée. Son seul désir était de se rendre directement chez son oncle et sa tante afin de se reposer.

La jeune femme se dirigea vers une cabine téléphoni-que, posa ses bagages et composa le numéro du vieux couple.

— Sally ! s'écria sa tante d'un ton extasié. Tu es de retour ! Edwin, Edwin ! Sally est ici...

Après un échange de bonjours et de paroles rassuran-tes, leur nièce promit de sauter immédiatement dans un train. Elle serait chez eux au début de l'après-midi.

Lorsque Emma Barnett lui ouvrit la porte, quatre heures plus tard, elle fondit en larmes et serra la voyageuse dans ses bras.

— Je suis tellement heureuse ! déclara-t-elle en s'essuyant les yeux. Nous nous sommes demandé des milliers de fois si nous te reverrions vivante...

— Eh bien, je suis là ! dit Sally en riant. Et je suis épuisée... Je serai beaucoup plus présentable lorsque j'aurai pris un bain.

— D'abord, tu dois manger un morceau ! répliqua impérieusement la vieille dame.

— Sais-tu ce qu'elle a fait après ton coup de téléphone ? intervint Edwin, le visage rayonnant. Elle s'est précipitée à la cuisine pour te préparer ton gâteau favori !

La jeune femme sourit avec attendrissement.

— Quelle excellente idée ! J'ai souvent pensé à ce dessert, dans la jungle. Il m'a beaucoup manqué !

Elle se dirigea vers sa chambre pour se changer. Au moment où elle s'engageait dans l'escalier, le téléphone sonna.

— Emma ne s'est pas contentée de cuisiner, indiqua le vieil homme, en allant décrocher. Elle a aussi prévenu tous tes amis de ton arrivée...

Sally grimaça.

— Je ne veux surtout voir personne ce soir. Ma fatigue est bien trop grande.

Son oncle, à présent, répondait à un interlocuteur invisible.

— Oui, elle est ici. Mais elle se sent trop lasse pour le moment... Elle vous rappellera demain, entendu.

— C'était Meg, expliqua-t-il.

Tout en faisant couler son bain, la jeune Doyle se demanda ce que son ancienne amie lui voulait. Leur relation était courtoise, mais distante, et elles n'avaient plus grand-chose à se dire.

Dehors, le jardin commençait à annoncer l'arrivée de l'automne. Quatre mois auparavant, les rosiers étaient en pleine floraison mais, à présent, il restait seulement quelques fleurs frileuses, recroquevillées sur leur tige.

La température, très fraîche, contrastait avec la chaleur délicieuse de Purumaxi. Sally prépara une chaude robe de lainage bleu pâle sur son lit et se glissa avec soulagement dans la baignoire.

Le miroir lui renvoya l'image d'un visage fatigué. Le séjour dans la cité inca n'avait amélioré ni ses cheveux, ni sa peau... Elle fit sa toilette avec soin, puis enduisit son corps d'une lotion adoucissante. Une fois séchée et habillée, elle se maquilla avec soin. Lorsqu'elle redescendit au salon, la jeune femme se sentait enfin détendue et un peu moins lasse.

Avant de savourer les pâtisseries de sa tante, elle déballa le portrait et l'exhiba avec fierté. Ravis, Emma et Edwin l'admirèrent longuement et le posèrent sur la cheminée.

— Je le porterai chez l'encadreur cette semaine, promit le vieil homme.

Emma observait sa nièce avec tendresse et la poussait sans cesse à reprendre « un peu de tarte ».

— Tu as l'air beaucoup plus heureuse qu'avant ton départ, remarqua-t-elle, en la dévisageant. Et cela se voit dans le tableau... A quoi souris-tu donc sur la toile ?

— Je l'ignore, répliqua Sally en rougissant légèrement. Sheila est responsable de mon expression...

Pourtant, elle connaissait la réponse ; ce sourire-là lui venait lorsqu'elle songeait à Adam, et l'artiste devait probablement s'en douter.

Adam... Il était si loin ! Surtout, il ne fallait pas y penser. Sinon, l'évocation de Vanessa risquait de trop profondément la troubler. Elle se devait de garder bon visage devant son oncle et sa tante. Pour se distraire de ses préoccupations, elle se mit à leur raconter longuement sa vie à Purumaxi. La journaliste n'omit aucun détail : ni les temples, ni les jardins, ni les merveilleux couchers de soleil, sur la jungle foisonnante... Ils l'écoutaient, les yeux écarquillés, et posaient d'innombrables questions. Leur nièce adorée avait fait un si merveilleux voyage !

Après la description du paysage, Sally entreprit celle des habitants du campement. Elle passa discrètement sur Ramon et Juan, d'autant plus qu'Emma se montrait fort curieuse du statut de tous les membres masculins de l'expédition.

— Il y avait trois célibataires, un veuf et un homme marié, énuméra malicieusement sa nièce. Et je ne les reverrai probablement jamais !

— Où se trouve actuellement M. Burgess ? interrogea ensuite la vieille dame. Est-il rentré en même temps que toi ?

— Non, il doit d'abord passer quelque temps en Amérique. Il me téléphonera à son arrivée.

— Continueras-tu à travailler pour lui ? s'enquit Edwin.

— Oui, je pense. Après avoir goûté ici un repos bien mérité !

Après le dîner, la jeune femme s'apprêtait à se mettre au lit, lorsque sa tante frappa discrètement à sa porte.

— Excuse-moi de te déranger... Puis-je venir te parler un instant ?

— Certainement ! Entre, je t'en prie.

— Voilà... Tim m'a téléphoné plusieurs fois. Il désirait connaître la date exacte de ton retour.

— Oh ! Je vois...

Elle n'osait continuer, se demandant avec embarrassement si Emma avait entendu parler de la relation entre Megan et le photographe. Apparemment, c'était le cas, car sa parente ajouta :

— Cette... histoire entre ton amie et ton fiancé... existait déjà avant ton départ, n'est-ce pas ?

— Oui, avoua la jeune femme. Mais j'avais moi-même des doutes sur notre amour, je te le promets.

142

— Mm... Ce M. Burgess, est-il vraiment sympathique ?

Dissimulant un sourire devant les allusions maladroites de son interlocutrice, Sally rétorqua gentiment :

— Il est tout à fait charmant, et nous nous entendons très bien. Naturellement, il y a une femme dans sa vie, et il en est passionnément amoureux...

Cette dernière remarque mit fin aux questions de la vieille dame. Elle s'éclipsa après avoir affectueusement embrassé sa nièce.

Celle-ci se glissa entre les draps en s'efforçant de chasser la légère mélancolie qui l'étreignait. Le véritable drame, en ce qui concernait Vanessa et Adam, n'était pas seulement sa propre jalousie ; il était également infiniment dommage qu'un homme soit aussi profondément attaché à une femme qui ne le méritait pas. Le reporter était prêt à tout pour l'actrice, mais celle-ci n'aurait renoncé à rien pour lui ; ni à la fortune acquise par son mariage, ni à sa réputation...

La journaliste avait placé le magnétophone de son employeur sur sa table de chevet, et elle enclencha la première bande magnétique. Il s'agissait d'un récit technique concernant les méthodes d'investigation de Carl Wittenburg, l'archéologue. Sally l'écouta une minute puis stoppa l'engin. Elle n'entendrait pas parler de Purumaxi ce soir. Il lui fallait d'abord retrouver ses esprits, apprécier la quiétude de sa petite chambre... En outre, au fond d'elle-même, elle se sentait trop troublée par la voix d'Adam, même légèrement déformée.

Le lendemain matin, elle se rendit à sa banque. Le montant de son salaire avait déjà été viré sur son compte et s'avéra nettement plus élevé qu'elle ne l'aurait cru. Mis au courant, son oncle et sa tante suggérèrent, l'un de raisonnables investissements en actions, l'autre l'achat d'une voiture ou d'un manteau de fourrure. Mais Sally ne souhaitait rien de tout cela. En revanche, elle désirait renouveler entièrement sa garde-robe et, l'après-midi même, partit pour la ville la plus proche.

Autrefois, elle aurait couru les boutiques en compagnie de Meg. Toutes deux adoraient fouiner, comparer leurs acquisitions, discuter les modèles... Mais, désormais, elle était seule. Cela ne l'empêcha pas de dépenser follement. Elle passa des magasins les plus chics, pour y choisir d'élégants tailleurs et des chemisiers de soie, à des boutiques plus jeunes où elle sélectionna quelques tenues amusantes. Depuis presque un an, c'était la première fois qu'elle s'achetait des vêtements. La seule exception avait été la paire de sandales provenant de la boutique d'Alan Foster... La jeune femme était enchantée de ses nouveaux habits. Lorsque Adam reviendrait, elle tenait à lui faire particulièrement bonne impression.

Après une séance chez le coiffeur et la manucure, elle reprit le chemin de la villa Barnett. Le siège arrière était encombré de sacs et de cartons. Sally chantonnait, le cœur léger.

A la vue de cette multitude d'achats, son oncle faillit s'étrangler et l'accusa d'extravagance ; mais Emma assista avec délices à un véritable défilé de mode.

— Tu as fait l'acquisition d'un magnifique trousseau ! plaisanta-t-elle.

— Il ne s'agit pas de cela, protesta sa nièce. Simplement, j'ai passé des mois à accumuler les casseroles et le linge de maison. Pour une fois, j'ai eu envie de m'occuper un peu de moi-même !

— Ne regrettes-tu jamais Tim ? s'enquit l'autre, avec un soupir.

— Non, plus du tout. Et je me sens en pleine forme...

C'était exact. Toute sa fatigue de la veille s'était envolée ; elle avait pris l'habitude, avec le reporter, d'une vie très active, et piaffait d'impatience de se remettre au travail.

144

— Je vais d'ailleurs téléphoner à *L'Echo de Radchester,* annonça-t-elle.

— Sally ? s'écria Fred Peake, le directeur. Quel plaisir de vous entendre ! Comment allez-vous, ma chère ?

— Fort bien. Je suis rentrée hier...

— Vous auriez dû nous prévenir ! Nous vous aurions fait un accueil digne de vous, à l'aéroport.

Tous deux éclatèrent de rire. En arrière-plan, la journaliste entendit la voix de Karen :

— Est-ce Sally Doyle ?

— Oui, répliqua Fred.

Puis il revint à sa première interlocutrice.

— M. Burgess est-il également de retour ?

— Non, pas encore. Il doit rester une dizaine de jours aux Etats-Unis.

— Passez donc nous rendre visite, en attendant ! Nous avons ici quelques excellentes photographies de votre départ.

— Je viendrai volontiers demain, Fred.

Karen s'était emparée du téléphone. Aussitôt, elle interrogea d'une voix mélodieuse :

— Alors, ma chère ? Pour quand le mariage ?

— Vous vous trompez, Karen, protesta la journaliste. Il n'a jamais été question de...

— Mm ! Quatre mois avec un employeur aussi séduisant, vous ne me ferez pas croire...

— A demain, Karen, conclut fermement Sally. Je vous raconterai mon voyage.

— Ne souhaitez-vous pas parler à Tim ?

— Non. A bientôt.

Après avoir raccroché, la collaboratrice de M. Burgess rejoignit sa tante au salon.

— Je me rendrai demain au journal, expliqua-t-elle. Fred a des photos à me montrer.

— Des photos ? Cela ne m'étonne pas. Il en est paru beaucoup dans la presse...

Elle se précipita vers un petit secrétaire, l'ouvrit et en tira une série d'articles de magazines, soigneusement épinglés. La vieille dame les posa avec fierté sur les genoux de sa nièce. Tous vantaient « le fabuleux voyage de l'une de nos collègues » et l'on voyait des portraits de Sally, d'Adam, et même de Vanessa en train d'embrasser ce dernier.

— Cela semble si loin ! murmura la jeune femme. Beaucoup d'eau est passée sous les ponts...

La dernière photographie, représentant l'actrice et le reporter, la troublait profondément. Si elle avait été seule, elle l'aurait volontiers déchirée en morceaux, d'un geste rageur...

Le soir, elle s'installa dans sa chambre pour écouter à nouveau les enregistrements d'Adam. Ses descriptions étaient denses et concises. Comme celles de Sally elle-même, inscrites sur les cahiers égarés, elles étaient conçues dans un style sobre, presque télégraphique.

La journaliste commençait à se plonger dans le travail, lorsque la sonnette de la porte d'entrée retentit. Contrariée, elle descendit ouvrir. Il s'agissait probablement d'amis venant aux nouvelles... Effectivement, deux jeunes femmes avec lesquelles elle avait fait ses études venaient l'interroger sur son voyage. Sally bavarda avec elles un long moment, puis remonta à l'étage après leur départ.

Jusqu'au milieu de la nuit, elle écouta avec attention les bandes magnétiques et prit de nombreuses notes. Avant de mettre en place le dernier enregistrement, elle consulta sa montre ; il était fort tard, mais elle n'avait pas sommeil. Elle enclencha le son.

Adam donnait quelques indications sur le palais aux serpents. Puis, tout à coup, il y eut un silence, et la voix

146

retitit à nouveau. « Sally, disait-elle, je suis sincèrement désolé pour la perte de vos documents. »

L'intéressée sursauta. Le reporter avait dû ajouter un message personnel à Quito, juste après leur coup de téléphone... Le cœur battant, elle écouta la suite. « Ne vous inquiétez pas trop, déclarait-il. En combinant vos souvenirs et les miens, nous arriverons à un compte rendu assez complet. Nous y travaillerons dès mon retour, durant plusieurs jours, s'il le faut. »

La jeune femme appuya un instant sur le bouton « stop ». Elle était profondément heureuse de ce message... Ils passeraient de longues heures ensemble, à revivre les moments les plus palpitants de leur voyage...

Elle fit repartir la bande. « Je reviendrai au plus tard vers le sept, poursuivait la voix. Téléphonez-moi si vous avez besoin de quoi que ce soit. Sinon, je vous appellerai moi-même à la date fixée. »

L'enregistrement s'arrêtait là. Sally s'adossa contre ses oreillers ; son employeur avait parlé d'un séjour de deux semaines à New York, mais en fait il serait de retour un peu plus tôt que prévu. Bientôt, très bientôt, elle pourrait le revoir...

Le lendemain matin, pour se rendre au journal, elle s'habilla avec soin : robe de soie jaune pâle, cardigan assorti, bottes et foulard bruns. Karen l'accueillit chaleureusement.

— Etiez-vous aussi bien vêtue, au cœur de la jungle ? plaisanta-t-elle.

— Pas exactement, répliqua l'autre en riant. Nos tenues étaient plutôt du genre solide et peu salissant... J'avoue avoir fait la tournée des magasins, dès mon arrivée.

— Vous êtes très élégante, commenta la rédactrice de mode avec admiration. Votre nouvelle coiffure vous va à ravir.

Sally rougit de plaisir et fit virevolter sa chevelure

mordorée. Elle avait un peu minci, et ses nouveaux vêtements mettaient sa silhouette gracile particulièrement en valeur.

Tous ses anciens collègues se réunirent pour lui souhaiter la bienvenue. Aussitôt, on décida de prendre plusieurs photographies de la voyageuse pour illustrer les articles qu'elle remettrait bientôt. Une fois la séance de photo terminée, le petit groupe se rendit gaiement dans un restaurant voisin, pour fêter dignement l'événement.

Tim fit son apparition alors qu'on venait de leur servir le café. Il s'excusa d'avoir été retenu et regarda fixement son ancienne fiancée. Tous les assistants connaissaient leur histoire et il y eut un léger silence gêné. Puis l'un des journalistes se leva et lança, en s'éclaircissant la voix :

— Eh bien, euh… je dois vous quitter. Prenez donc ma place, Tim.

— Merci, fit l'intéressé en s'asseyant.

Karen observait la scène avec attention. Elle avait questionné Sally plusieurs fois au sujet d'Adam Burgess mais n'avait obtenu que des réponses évasives. Cependant, tout en soupçonnant le photographe d'être particulièrement ému par les retrouvailles, elle sentait chez la jeune Doyle une nette réticence.

— Vous avez une mine splendide, déclara Tim à la voyageuse, d'une voix rauque. Tout s'est-il bien passé ?

— Ma foi, oui. J'ai eu un séjour passionnant.

— Où est donc votre employeur ?

— Il est encore aux Etats-Unis, pour quelques jours. Il ne saurait tarder.

— Où… où résidez-vous, en ce moment ?

— Chez mon oncle et ma tante, naturellement.

Avec un sourire moqueur, la journaliste ajouta :

— Pourquoi ? Me croyiez-vous dans mon ancien appartement ? Megan ne s'y trouve plus, je suppose.

— Euh… en fait, si, bégaya son interlocuteur.

La conversation devint générale et ils furent obligés de s'y mêler. Cependant, un peu plus tard, Tim s'arrangea pour raccompagner Sally à sa voiture et se trouver seul avec elle.

— Meg a beaucoup regretté votre absence, expliqua-t-il. Elle sera enchantée de vous revoir.

— Comment se porte-t-elle ?

— Très bien, je pense.

La réponse manquait d'enthousiasme. Légèrement inquiète, la jeune femme se demanda si son amie était heureuse. A présent, elle n'éprouvait plus aucun ressentiment envers ceux qui l'avaient si cruellement trompée. Une nouvelle amitié entre eux était possible, différente de la première, naturellement, mais réelle.

Megan téléphona le soir même chez les Barnett, et les deux jeunes femmes prirent rendez-vous pour le lendemain.

— J'ai pensé également organiser une fête en l'honneur de ton retour, annonça la vendeuse. Accepteras-tu de te joindre à nous ? Cela me ferait tellement plaisir…

— Bien sûr, assura l'autre. Jeudi prochain, par exemple ?

Adam serait de retour le mardi ; elle pourrait ainsi lui demander l'autorisation d'utiliser sa chambre d'amis, au cas où la soirée se terminerait très tard et l'empêcherait de rentrer chez son oncle et sa tante. L'idée de revoir le reporter dans quelques jours l'emplissait de bonheur. Lorsqu'elle retourna au salon, son visage était si rayonnant, qu'Emma l'interrogea d'un air intrigué :

— Qui t'a donc téléphoné ?

— Megan, répondit sa nièce, en se versant une tasse de thé.

Le mardi suivant, cependant, la jeune femme résolut finalement de ne pas appeler le reporter. Elle se souvenait du dernier soir à Purumaxi, quand il l'avait quittée brusquement : lui téléphoner dès son retour, après tout, risquait de s'avérer maladroit. Mieux valait attendre un peu.

Les journaux du mercredi publiaient tous un article sur le retour du célèbre Adam Burgess. Sally découpa la photographie le représentant à sa descente d'avion, et l'accrocha au-dessus de son miroir. Tout en se coiffant, elle lui adressait de mélancoliques sourires...

Le jeudi, elle se présenta à son ancien appartement avec une petite valise, au cas où elle déciderait d'y dormir. Si Tim n'occupait pas la seconde chambre, naturellement... Sinon, tant pis. Elle referait le trajet jusqu'à la villa du vieux couple.

La porte s'ouvrit au premier coup de sonnette. Megan, vêtue d'un ample tablier sur sa robe de soirée, poussa une exclamation de joie.

— Sally ! Enfin ! Je suis tellement heureuse de te revoir... Le temps m'a paru si long !

Elle embrassa son amie avec émotion, comme si rien de déplaisant ne s'était jamais produit entre elles. La journaliste sourit gentiment et l'embrassa à son tour avec affection.

Aucun invité n'était encore arrivé. La vendeuse avait commencé à disposer les boissons et les petits fours sur le buffet, et Sally lui proposa de l'aider. Toutes deux se rendirent à la cuisine, pour mettre la dernière main aux pâtisseries.

— Ta robe est absolument splendide, murmura Megan avec un air d'envie.

L'autre fit virevolter en riant la mousseline vert pâle.

— Je n'aurais jamais pu me l'offrir avec mon ancien salaire, expliqua-t-elle. M. Burgess s'est montré royal.

— Tu sembles très heureuse... Tout s'est très bien arrangé pour toi, n'est-ce pas ?

— Oui, dans une certaine mesure.

Il y avait encore une ombre au tableau, songea la

150

journaliste. Vanessa... Mais il ne fallait pas y penser, pas ce soir.

— Et toi ? demanda-t-elle. Comment vas-tu ?

Megan esquissa une légère grimace et ne répondit pas immédiatement. Elle saisit le manteau de son amie pour le porter dans sa chambre. Par la porte entrouverte, Sally reconnut une chemise de Tim, jetée sur le dossier d'une chaise. La seconde chambre devait être libre, et elle pouvait l'utiliser si elle le souhaitait... mais elle hésitait.

— Dormiras-tu ici, ce soir ? fit son amie en revenant, comme si elle devinait les pensées de Sally. Tu es la bienvenue.

— Je... en fait, je rentrerai probablement chez mon oncle et ma tante. Le trajet n'est pas si long.

— Comme tu veux...

La vendeuse soupira et se laissa tomber sur une chaise, avant de poursuivre :

— Tu sais, Tim et moi avons des problèmes en ce moment. Nous ne nous entendons plus très bien... Il s'est installé ici, mais je crois qu'il n'y en a plus pour longtemps. Il parle de toi sans arrêt... Tes sentiments envers lui sont-ils restés les mêmes ?

Sally secoua négativement la tête. Elle avait plus ou moins deviné la situation, lors du repas au restaurant. Le photographe souhaitait probablement renouer avec son ancienne fiancée... Mais c'était hors de question.

— Quels sont tes rapports avec Adam Burgess ? demanda mélancoliquement son interlocutrice.

— Je suis amoureuse de lui, déclara simplement la journaliste.

Elle avait parlé spontanément, instinctivement. Oui, elle aimait Adam. Elle l'aimait même passionnément... Un immense désir de le revoir, d'être à nouveau à ses côtés, d'entendre sa voix, la submergea. Tout d'un coup, saisie d'une impulsion subite, elle lança :

— Puis-je donner un coup de téléphone, si cela ne t'ennuie pas ?

— Oui, naturellement !

Elle se rendit dans l'entrée, en refermant soigneusement derrière elle la porte de la cuisine. D'un geste vif, elle composa le numéro du reporter. Peut-être serait-il absent... Peut-être Mme Lovatt, la gouvernante, répondrait-elle à sa place... Ou même Vanessa !

Mais la voix d'Adam lui-même résonna dans l'écouteur.

— Bonjour, ma chérie ! s'exclama-t-il gaiement.

Sally se sentit soudain vaciller. Ses jambes, sous le coup de l'émotion, se dérobaient sous elle. Elle s'appuya contre le mur et ferma les yeux.

— Etes-vous occupé, Adam ? s'enquit-elle.

— Non.

— Pourrais-je... passer vous voir ?

— Ce soir même ? J'en serai enchanté. Je vous attends.

— J'arrive à l'instant, murmura la journaliste.

Elle raccrocha au moment où Megan ouvrait la porte.

— Je suis désolée, lança-t-elle, mais je dois partir. M. Burgess tient à me voir... pour travailler. Je te prie de me pardonner...

La vendeuse prit assez mal la chose. Les invités seraient extrêmement déçus de l'absence de la voyageuse, et Tim en particulier. Sally promit d'essayer de revenir un peu plus tard. Mais, pour le moment, elle était incapable de résister à ce désir impérieux : se retrouver avec le reporter, seule à seul avec lui...

Après avoir renouvelé ses excuses, elle saisit son manteau et son sac et regagna sa voiture. Une vingtaine de minutes plus tard, elle arrivait au manoir. La vue de l'élégante bâtisse ornée de lierre, encadrée par de grands arbres, lui donnait l'étrange impression de rentrer enfin chez elle, dans son véritable foyer... En poussant la grille rouillée, après avoir garé son véhicule, la jeune femme accomplissait un geste dont elle rêvait depuis des mois.

Les feuilles jaunies jonchaient la pelouse humide sous ses pas. Toutes les lumières de la demeure étaient allumées. Peut-être Adam avait-il des hôtes chez lui... Au téléphone, il n'avait pas affirmé être seul. Cependant, aucun bruit ne se faisait entendre.

Soudain, Sally se demanda comment elle lui expliquerait sa venue. Elle avait agi spontanément, sans réfléchir. Ne risquait-il pas de s'étonner ?

Mais il vint lui ouvrir la porte et l'invita à s'installer devant la cheminée, sans paraître surpris le moins du monde. La jeune femme se retrouva pelotonnée dans un fauteuil du vaste salon, tout près des flammes pétillantes.

— Voulez-vous prendre quelque chose ? proposa-t-il.

— Euh... volontiers, je vous remercie.

— Un whisky ?

— Très léger, oui.

Il remplit deux verres et s'assit à côté d'elle, en lui tendant le sien. La journaliste but nerveusement quelques gorgées.

— Vous n'êtes pas resté très longtemps à New York, remarqua-t-elle, prenant son courage à deux mains.

En effet, sa gorge était nouée par l'émotion de le revoir, et elle avait du mal à articuler le moindre mot...

— Effectivement, répliqua-t-il, en croisant nonchalamment les jambes. Les... affaires que je devais régler se sont trouvées résolues plus rapidement que prévu.

Sally avala sa salive. Faisait-il allusion à Vanessa ? Leur relation, par miracle, serait-elle enfin terminée ?

— Je crois que Tim et Megan sont en train de rompre, annonça-t-elle à voix haute.

Après un court instant de réflexion, elle ajouta comme pour justifier sa présence :

— Je... j'ai besoin d'un conseil. Devrais-je revenir à mon ancien fiancé, s'il me le propose ?

— Non, riposta brusquement Adam. Je suis infiniment plus digne de confiance que lui.

Comment interpréter cette phrase ? songea la jeune femme. Voulait-il dire qu'elle serait plus heureuse en travaillant avec lui qu'en se mariant ?

— Vous le savez, n'est-ce pas ? poursuivit son interlocuteur, en lui jetant un regard étincelant. Vous savez que vous pouvez me faire confiance ?

— Jusqu'à quel point ? interrogea-t-elle à voix basse, sans le quitter des yeux.

— Mais, jusqu'au bout, ma chère, plaisanta-t-il, avec un rire léger et tendre. Comment dire ? Corps et âme, ou bien pour le meilleur et pour le pire, suivant la formule que vous préférez.

La journaliste posa son verre car sa main tremblait trop fortement. Le cœur battant de plus en plus vite, elle murmura :

— Ne vous moquez pas de moi, Adam...

— Comment oserais-je ? répliqua-t-il, la voix soudain voilée par l'émotion.

— Mais... Et Vanessa ?

— Qui ?

Il faisait la sourde oreille, mais elle insista :

— Son portrait, à Purumaxi, était suspendu au-dessus de votre lit...

— Ce n'était pas mon lit, mais celui de Carl, ma chère. De toute façon, il y avait un seul clou disponible.

— Pourquoi ne... n'avez-vous pas emmené votre ancienne fiancée dans la jungle ?

— Elle n'aurait jamais « tenu le coup », pour parler familièrement. Alors que vous...

Il s'interrompit un instant et ajouta :

— Vous êtes une courageuse petite lutteuse.

154

Sally devint écarlate. C'était un compliment. Curieux, peut-être, mais néanmoins un compliment.

— Savez-vous ce qu'est devenu le portrait ? reprit Adam. J'en ai fait cadeau au mari de Vanessa... Il mérite bien cela. Il aime sa femme à la folie.

— Votre relation avec elle... est-elle vraiment terminée ?

— Absolument.

— Puis-je vous demander pourquoi ?

— Volontiers. La première fois que vous êtes venue ici, Mme Westmorland avait surgi la veille au soir, sans crier gare. Je ne l'avais pas revue depuis son mariage. Elle m'a tenu un long discours, prétendant qu'il serait dommage de ne plus nous rencontrer. Son mari était plus riche, mais j'étais plus « ceci » et plus « cela »...

Le reporter esquissa une légère grimace et termina son verre, avant de poursuivre :

— Naturellement, je lui ai expliqué que ce genre de dissimulation me répugnait. Nous avons passé une bonne partie de la nuit à discuter, puis je suis allé me coucher. Elle-même s'est réfugiée dans la chambre d'amis, où vous l'avez aperçue le lendemain matin... Avant de partir pour Purumaxi, j'aurais encore accepté qu'elle divorce pour se remarier avec moi. Mais le séjour en Amazonie m'a fait totalement changer d'avis.

— Pour... pourquoi ?

Adam sourit avec une tendresse infinie et expliqua :

— Parce que je suis tombé passionnément, éperdument amoureux de vous. Comme je ne l'avais jamais été auparavant.

Il se leva et vint s'asseoir sur le bras du fauteuil, caressant doucement les cheveux de la jeune femme. Transportée de joie et d'émotion, celle-ci balbutia :

— Pourquoi ne pas me l'avoir montré ?

— Votre rupture avec Tim vous avait fragilisée et

rendue méfiante, ma chérie. Je voulais d'abord gagner votre confiance, vous convaincre de ma sincérité…

Sally lui prit la main et la serra avec force, les larmes aux yeux.

— Je… je comprends.

— M'aimez-vous autant que je vous aime, Sally ? demanda-t-il avec chaleur. Il le faut, car nous ne nous séparerons plus jamais…

— Oui, Adam, je vous aime, murmura-t-elle en frissonnant. Plus que tout au monde.

Elle posa sa tête sur son épaule, se blottissant contre sa poitrine. Son cœur semblait prêt à éclater de bonheur. Le salon à peine éclairé par la lueur du feu qui jetait des ombres mouvantes sur le tapis, paraissait soudain le centre du monde, comme une promesse enfin réalisée… Celle d'une demeure où elle vivrait un amour véritable et éternel.

— Marions-nous très vite, souffla Adam en l'enlaçant.

La jeune femme eut un léger rire.

— J'ai déjà mon trousseau, savez-vous ? J'ai renouvelé entièrement ma garde-robe. Je… je tenais à vous plaire en vous revoyant.

— Vous me plaisez en toutes circonstances, avoua-t-il doucement. Même au milieu de la jungle, même sur une île déserte…

Ils échangèrent un sourire radieux et complice. Une bûche craqua dans l'âtre, alors que leurs lèvres se scellaient enfin en un long baiser, gage et prélude de leur amour.

le bloc-notes du mois.

Je ne serai pas originale si je vous dis que les collections Harlequin sont formidables. Il a fallu que je change ma bibliothèque pour continuer de ranger tous mes volumes, Harlequin, Club, Royale, Blanche, je les possède tous, je lis et relis cet atlas géographique, linguistique, et surtout romantique. Quelle surprise j'ai pu faire à un client grec de mon mari, lui dire merci, bonjour, parler de certains plats ou vins de son pays, il a évidement pensé que je connaissais ce pays, et n'a pas très bien compris quand mon mari lui a répondu : «La Grèce, elle connaît assez bien, oui ! mais Harlequin encore mieux». Après les explications, sa femme est repartie avec ma Collection du mois. Je crois que vous avez maintenant une «amie» de plus dans cette grande famille.

Merci pour tout ce que vous avez apporté à chacune d'entre nous.

Madame LUI GANA
Poix-Tenance Ardennes

Votre lettre, qui témoigne si bien de l'ouverture sur le monde offerte par Harlequin vous vaudra un très beau cadeau. Bravo encore et merci de votre amitié.

Les Prénoms Harlequin

SALLY

Ce prénom dérivé de Sarah accorde à celle qui le porte une nature gaie et attachante. Agréable et facile à vivre, elle déteste rester inactive, mais ses nombreuses occupations lui laissent toujours le temps de voir ses amis. Et même là ne peut-elle s'empêcher de rendre service à l'un ou à l'autre. Un cœur d'or… mais qui doit prendre garde à ne pas se laisser piéger par un monde trop hostile…

Attirée par Matthiew bien malgré elle, Sally Ashford fait de son mieux pour résister à cette attirance, en vain!

Les Prénoms Harlequin

ADAM

fête : 1 novembre   couleur : rouge

D'une audace frisant la démence, celui qui porte ce prénom manifeste très tôt un caractère autoritaire et intraitable. Peut-être dans la jungle de la vie se prend-il pour le tigre, qui est du reste son animal totem... Aussi dangereusement fascinant que ce félin redoutable, il pourrait résumer son existence en trois mots : défi, aventure et... passion !

Le défi d'Adam Burgess n'est pourtant pas ce reportage à Purumaxi mais bien la présence de Sally à ses côtés...

Achevé d'imprimer en février 1983
sur les presses de l'Imprimerie Bussière
à Saint-Amand (Cher)

— Nº d'imprimeur : 1336. —
— Nº d'éditeur : SC 249. —
Dépôt légal : mars 1983.

Imprimé en France